JN133299

甲状腺癌取扱い規約

General Rules for the Description of Thyroid Cancer

第9版

2023年10月

日本内分泌外科学会・日本甲状腺病理学会 ● 編

October 2023（The 9th Edition）

Japan Association of Endocrine Surgery
The Japanese Society of Thyroid Pathology

金原出版株式会社

第９版序

今回，甲状腺癌取扱い規約は第８版の上梓から４年弱という短い間隔で第９版の出版に至った。早期改訂の主因は第５版 WHO 分類および第３版ベセスダシステムの発行（ともに 2023 年）であるが，これを機会に臨床部分の懸案事項についても，いくつかの改訂を行った。委員の先生方の熱意と奮励に深く感謝申し上げたい。

臨床部分では UICC（第８版）との齟齬ができるだけ生じないように留意しつつも，甲状腺癌の記録上，重要と考える事項を盛り込んだ。そのためにやや煩雑となった感は否めず，利用者に不都合を生じる懸念はあるが，これについては歴史の判断を待ちたいと思う。

総論は他の癌取扱い規約の記述内容に合わせるとともに，予後予測には sTNM 分類，sEx 分類を活用するのがよいことを明記した。本規約独自の分類である腫瘍の甲状腺外浸潤の程度を表す Ex 分類は術中所見によるもの（sEx）のみとし，浸潤臓器のみならず深達度も考慮するものとした。また，N 分類において，転移リンパ節の大きさおよび節外浸潤を取り入れた細分化を行ったが，国際分類の N1a，N1b と矛盾が生じないように配慮した。さらに上縦隔リンパ節転移を手術手技によって定めることを止め，解剖学的位置により定義しなおした。利用者の便宜を図るため，用語は National Clinical Database（NCD）の症例登録フォームとできるだけ一致するように努め，参考までに術前・術中所見のチェックリストを設けた。

病理部分では，第８版で採用を見送った境界病変（第４版 WHO 分類で新たに導入）を，国際性を重視するとともに，わが国の実臨床の状況との整合性に配慮して，「低リスク腫瘍」として良性腫瘍と悪性腫瘍の間に組み入れた。これを機に「過剰診断・過剰治療」という甲状腺癌における国際的な課題への対応において世界をリードしてきたわが国で，「低リスク腫瘍」の理解とエビデンス創出がいっそう進むことを期待したい。これ以外の部分でも第９版の組織学的分類は，原則的に第５版 WHO 分類に沿って改訂されている。背景にあるのは，甲状腺腫瘍の診断において形態のみならず腫瘍の遺伝子異常を重視する考え方で，今後の甲状腺癌治療にも直結する大きな流れとなるものと推測される。なお，細胞診報告様式は組織分類の変更に合わせて修正されている。

本規約は甲状腺腫瘍診療における国際基準とわが国の独自性の両立を図りつつ，熟成されてきた。今後も甲状腺癌診療に携わる医師，研究者の水準の向上に寄与するとともに，国際的に新たな知見を発信し続けるための礎となることを願う。

2023 年 10 月

規約委員会代表　杉　谷　　巌

第 8 版序

甲状腺癌取扱い規約 General Rules for the Description of Thyroid Cancer は 1977 年 8 月の第 1 版発行から 42 年の月日を経て，第 8 版の発行に至った。従来，甲状腺外科学会（甲状腺外科検討会，甲状腺外科研究会）の規約委員会が発行の主体となってきたが，2018 年 10 月に日本内分泌外科学会との統合が成り，新しく一般社団法人日本内分泌外科学会が発足したことを受けて，編者は日本内分泌外科学会の甲状腺癌取扱い規約委員会，甲状腺病理委員会および日本甲状腺病理学会の甲状腺癌取扱い規約委員会ということになった。

今回の改定は臨床面では UICC（国際対がん連合）の TNM 分類第 8 版への改定（2017 年），病理面では第 4 版 WHO 分類（2017 年）の発行，そして細胞診に関しては第 2 版ベセスダシステムの発行（2018 年）を受けてのものである。UICC 第 8 版では T 分類において T3 が T3a（腫瘍径>4 cm）と T3b（前頸筋群への明らかな浸潤，甲状腺周囲脂肪組織浸潤は含まない）に分けられ，上縦隔リンパ節転移は N1b から N1a に変更されるなどの修正が行われた。本規約の改定ではこれらの改変に準拠しつつ，本規約独自の分類である腫瘍の甲状腺外浸潤の程度を表す Ex 分類は T 分類に従い修正したうえで残すことにした。Ex 分類（T3b，T4a，T4b 分類）が浸潤臓器によって定義され，深達度によらない点や甲状腺周囲脂肪組織浸潤は Ex0 とする点，上縦隔リンパ節転移が解剖学的位置ではなく，手術手技によって定められている点など議論が残る部分もあるが，これらについては今後の検討課題としたい。なお，UICC 第 8 版では Stage 分類において，分化癌（乳頭癌，濾胞癌）における年齢の境界を 45 歳から 55 歳に引き上げ，N1 症例を高齢群でも Stage Ⅱにとどめるなどの改定が行われた。これらについて本規約では従来どおり，「UICC による TNM 分類と病期（Stage）分類」の項に示した。

病理診断では，第 4 版 WHO 分類で新たに取り入れられた境界病変（FT-UMP，WDT-UMP，NIFTP）について，わが国の実臨床の状況に合わせ採用することはせず，詳細な解説を加え対応可能とした。また，WHO 分類では低分化癌の定義をより限定的なトリノ基準に従うものとしたが，本規約では従来の基準を踏襲した。一方，濾胞癌の浸潤様式による分類については WHO 分類に準拠して，微少浸潤型，広汎浸潤型に加え，被包性血管浸潤型を設けた。細胞診については，第 2 版ベセスダシステムおよび甲状腺結節取扱い診療ガイドライン 2013 との比較表を掲載し，本規約の報告様式を明瞭化している。

本規約は版を重ねるごとに，国際基準を基本としつつも，わが国の先達が築いてきた知見を取り入れて熟成されてきた。特に病理診断事項については第 7 版の病理委員会（加藤良平，越川 卓，長沼 廣，坂本穆彦）も改定に貢献された。今後も新たな科学的根拠の蓄積によって，より妥当性の高いものに改定されていくものと考えられる。本規約が甲状腺癌診療に携わる医師，研究者の水準の向上，標準化，国際化に寄与するとともに，一例一例の所見を大切に観察することで，新たなエビデンス創出のための基盤となることを願う。

2019 年 11 月

規約委員会代表　杉　谷　　巌

日本内分泌外科学会・日本甲状腺病理学会
甲状腺癌取扱い規約委員会

委員長	杉谷　巌
副委員長	伊藤康弘，菅間　博
委員	亀山香織，北村守正，絹谷清剛，菅沼伸康
	鈴木眞一，日比八束，堀内喜代美
顧問	原　尚人

甲状腺病理委員会

委員長　　菅間　博

副委員長　亀山香織

委員　　　今村好章，近藤哲夫，中島正洋

顧問　　　廣川満良

日本甲状腺外科学会

(2018 年 10 月 26 日をもって一般社団法人日本内分泌外科学会と統合)

甲状腺癌取扱い規約委員会

委員長　　岡本高宏

副委員長　杉谷　巌

委員　　　伊藤康弘，今井常夫，加藤良平，鈴木眞一
　　　　　日比八束，廣川満良

病理委員会

委員長　　廣川満良

副委員長　菅間　博

委員　　　加藤良平，亀山香織，越川　卓，近藤哲夫
　　　　　長沼　廣

顧問　　　坂本穆彦

第7版序

UICC TNM 分類は2009年に第7版が出版されている。甲状腺癌ではT分類においてT1がT1aとT1bに分けられ，M分類でMXが廃止された。また病期分類では髄様癌を乳頭癌・濾胞癌から分離し，T3N0M0をStageⅢではなくStageⅡとしている。

今回の取扱い規約改訂はUICC第7版に準拠しつつ，これまでの本規約の歴史を踏まえて妥当と思われる変更を加えたものである。

記録する事項としてT，Ex，そしてNについては術前・手術時・術後の各段階で評価を行う。さらに，転移リンパ節が隣接臓器に浸潤する場合には手術時のN分類（sN分類）にExを付し，浸潤先の臓器名を併記することとした。また，手術時の評価には外科治療の根治性を記載するR分類を新たに設けた。

病理診断に関しては本文，図とも大幅に刷新した。とくに，乳頭癌特殊型と低分化癌の記載を改訂するとともに，ベセスダシステムに準拠した細胞診の報告様式を採用した。

甲状腺癌取扱い規約は個々の症例の病期と病状の把握を標準化し，医療者が共有する手立てとして重要な役割を果たしてきた。2010年に刊行された甲状腺腫瘍診療ガイドラインにおいては乳頭癌の予後予測に最も優れたリスク分類法としてTNM分類の活用が推奨され，取扱い規約は個別化医療の実践にも不可欠である。また，National Clinical Database（NCD）によって2011年から開始された外科手術症例の全国登録には甲状腺疾患の症例も含まれており，そこに甲状腺癌登録を兼ねる仕組みづくりが進められている。今後，いわゆるビッグデータを活用することによってわが国における甲状腺癌症例の実際と診療指針の妥当性が明らかにされる期待は大きいが，その前提となるのはデータの正確さ（悉皆性）である。

本規約が的確に運用され，わが国における甲状腺腫瘍診療の質向上に資することを願っている。

2015年10月

規約委員会代表　岡　本　高　宏

日本甲状腺外科学会
　甲状腺癌取扱い規約委員会
　　委員長　　岡本高宏
　　副委員長　杉谷　巌
　　委員　　　伊藤康弘，今井常夫，加藤良平，菅間　博
　　　　　　　鈴木眞一，日比八束，廣川満良
　病理委員会（病理分類改訂ワーキンググループ）
　　委員長　　加藤良平
　　副委員長　廣川満良
　　委員　　　菅間　博，越川　卓，近藤哲夫，長沼　廣
　　顧問　　　坂本穆彦

第6版序

『甲状腺癌取扱い規約　第5版』(1996年) が発行されてすでに9年が経過した。この間に2002年にはUICCのTNM分類の改訂第6版が出版され，2004年末にはWHOから甲状腺腫瘍の新しい病理組織分類が発表された。これらを受けて今回本規約の改訂が行われることとなった。

前回の改訂では，それ以前の規約で使用していたわが国独自のJT，JN分類を国際的に通用するUICCのTNM分類第5版を大幅に取り入れて改めた。このとき，UICCのT分類において「甲状腺被膜をこえて進展する腫瘍をT4とする」との記載の解釈が問題となった。厳密に取ればごく少しでも被膜をこえればT4となるが，当時の委員の中では甲状腺被膜をごく少しだけこえるものをT4とすることに抵抗を感じる意見が強かった。そこで，腫瘍の甲状腺外浸潤の程度を分類するEx分類を新たに作り，浸潤が甲状腺被膜をこえるが胸骨甲状筋あるいは脂肪組織にとどまるものをEx 1，これらをこえて波及するものをEx 2とし，本規約第5版ではEx 2に相当するもののみをT4とすることとした。UICCの第6版では初めてminimal extrathyroid extension (われわれのEx 1に相当) をとりあげ，これがある腫瘍をT4ではなくT3とすると改め，われわれの考えに近づいてきた。UICCの第6版では腫瘍径2 cm以下をT1と分類することになったが，本規約ではこれをT1aとT1bに分けることで過去のデータとの整合性の保持を図った。T4をT4aとT4bに2分することは実際上大きい影響はなく，そのまま受け入れた。従来のT分類ではaは単発性，bは多発性を意味したが，第6版では多発癌は (m) で表示することになったので注意されたい。また，旧リンパ節転移分類において患側転移をN1a，両側，正中または対側あるいは上縦隔リンパ節転移をN1bとするとの分類は若干不合理な点があった。今回の見直しでは頸部中央区域リンパ節のみの転移をN1a，頸部外側区域リンパ節や縦隔への転移があるものをN1bとすることとなり，実際の臨床に近い分類となった。

今回16年ぶりにWHOによる甲状腺腫瘍病理組織分類の改訂が行われた。新たに採用された組織型の中には，わが国から提唱された低分化癌やCASTLE (Intrathyroidal Thymomaとして報告されたもの) も含まれている。本規約第6版ではWHO新分類を受けて，分類の一部を改変し，各組織型の説明記述を最近の新知見を取り入れて大幅に書き改めた。臨床の便を図るため，手術摘出標本の推奨される取扱い方を詳細に記載した。さらに，細胞診に関しては，乳腺細胞診と歩調を合わせ，甲状腺細胞診の新しい報告様式を掲載した。

甲状腺外科の分野においても今後ますます国際的交流が盛んになるものと思われる。そのためには世界に通用する分類基準を採用することが不可欠であるが，同時にこれまで集積した過去のデータとの互換性を保持することも必要である。これらを考えて今回の改訂を行った。本規約の改訂第6版が国内における甲状腺外科医・病理医の水準の向上と標準化に役立ち，さらには国際的活躍の基盤となるものであることを願っている。

2005年9月

規約委員会代表　宮　内　　昭

甲状腺外科研究会甲状腺癌取扱い規約委員会 (委員長　宮内　昭)
岩瀬克己，海老原敏，小原孝男，覚道健一
坂本穆彦，芝　英一，清水一雄，杉谷　巌
鈴木眞一，高見　博，野口志郎，舟橋啓臣

甲状腺癌取扱い規約委員会病理小委員会 (委員長　坂本穆彦)
覚道健一，片山正一，加藤良平，越川　卓
山下裕人

甲状腺病理コンサルテーションボード (委員長　覚道健一)
加藤良平，亀山香織，越川　卓，坂本穆彦
長沼　廣，廣川満良

第5版序

改訂第4版が発行されて未だ5年ほどしか経過していない現在，さらに改訂を加えることには少々抵抗感があったが，以下に述べる経過により決断せざるを得なかった。

まず，第4版は病理組織学的分類の改訂が主体であり，臨床的事項に関しては1988年の第3版以来改訂されていない。以前から，本規約はUICCのTNM分類と本規約固有のJT，JN，N′分類などが錯綜して，使用上不便であるという苦情を耳にしていたが，これは歴史的に双方の改訂の時期がうまく噛み合わなかった結果によるもので，機会をみて見直すべきであると考えられていた。最近になって，従来使用されてきたリンパ節郭清の分類（R分類，本改訂版ではD分類）は他臓器癌のそれに比較して評価基準が低く，また，非合理的な側面もあるという意見が聞かれるようになり，さらにわれわれの調査で，UICCのTNM分類は今後しばらくの間，改訂される可能性がないことが確認された。このような状況で開催された第27回甲状腺外科検討会の世話人会で，思いきって規約全体を見直すことが決定された。

今回の改訂の主眼の一つはTNM分類との関係を出来るだけすっきりさせることであった。従来のJT分類はUICCのT分類と分類基準が異なっていたが，委員会の調査では，いずれの分類を用いても手術後遠隔成績にはほとんど差がないことが明らかにされたので，UICCのT分類に準拠することにした。JN分類は審議の結果，UICCのN分類の変更に関する考え方を尊重してこれに従うことにした。N′分類については本規約のリンパ節の解剖学的分類に従って肉眼所見を記載することによって，その意義はほとんどなくなるであろうと考え，単純化を目指して削除した。従来，批判の多かったR分類については，リンパ節転移の進展過程をあらためて慎重に検討した上で，甲状腺周囲のリンパ節群と内頸静脈領域リンパ節群の郭清上の価値を一段階変えて分類し直した。これによって他臓器癌のR分類とほぼ同じ基準で考えることが可能になったと思われる。その他の改正点としては，発見動機による分類の項の最初の説明文はすでに周知のこととして削除した。リンパ節の解剖学的分類の記述については不明瞭との批判があったので，一部の修正とともに記述を明確にした。甲状腺切除の分類の項に新しく準全摘を設けた。また，TNM分類の表記法の変更に従って，R分類をD分類，tnm分類をpTNM分類，ex分類をpEx分類とした。

病理組織学的事項については今回は根本的な改変を行わず，表現様式の統一や，語句の修正ならびに写真の入れ替えにとどめた。

最後に，以上の変更は混乱を最小限にとどめるために，従来の分類との整合性を十分考慮しつつ行ったが，新規約に移行するためにはしばらくの間，多少の不便を我慢して頂かねばならない。より良い規約を目指した委員会の意図をご理解頂き，今後，さらなる改善のためにご協力をお願いする次第である。

1996年3月

規約委員会代表　飯田　太

甲状腺外科検討会規約委員会（委員長　飯田　太）

飯田　太　伊藤国彦　海老原　敏　小池明彦
佐々木　純　高井新一郎　野口志郎　原田種一
藤本吉秀　細田泰弘　的場直矢　宮内　昭

甲状腺外科検討会規約委員会　病理小委員会（委員長　細田泰弘）

覚道健一　片山正一　加藤良平　坂本穆彦
細田泰弘　山下裕人

第4版序

第3版発刊の際に，組織学的分類が，最近のこの方面の進歩に合致しなくなったところがあるので，改めようという討議があったが，当時WHOのHistological Typing of Thyroid Tumoursが改訂中であったので，それが完成した後に，本規約を改訂することになっていた。

その後，矢川，細田両委員のもとで，小委員会を作り，上記の書籍を参考にしながら，討論を重ね，ようやく完成の運びに至った。従来，写真がわかりにくいという批判があったので，何度もとり替えて，明瞭な印刷にすることが出来た。

本文の方は殆ど変更しなかったが，組織学的分類の改正に伴って生じた不都合なところを改訂した。例えば，従来不顕性癌，潜在癌という言葉が用いられていたが，わかりにくく，英文との対応もはっきりしなかった。それをオカルト癌（occult carcinoma），偶発癌（incidental carcinoma），ラテント癌（latent carcinoma）の三つに分けて，わかり易くし，発見動機による甲状腺癌の分類として大項目に入れた。

又，最近急速に進歩してきた吸引細胞診，免疫組織化学的項目を入れた。

今回の改訂に当っては，病理側の委員の方々は，何回も会合を重ね，文章を練り，写真を何回もとり直され，お蔭で単なる規約というより，甲状腺病の病理組織学の教科書としても恥ずかしくないものが出来た。

委員の方々，会員の皆様，その他の多くの方々の御協力を感謝し，この規約がいささかでもお役に立つことを希望する。

1991年10月

規約委員会代表　江　崎　治　夫

甲状腺外科検討会規約委員会（委員長　江崎治夫）
江崎治夫，飯田　太，伊藤国彦，泉雄　勝
海老原敏，藤本吉秀，細田泰弘，牧内正夫
矢川寛一

甲状腺癌取扱い規約組織分類小委員会（委員長　矢川寛一）
覚道健一，片山正一，加藤良平，坂本穆彦
細田泰弘，矢川寛一，山下裕人

第3版序

UICCのTNM分類が決められた際に，甲状腺外科検討会では，この機会を利用して甲状腺癌の臨床所見と病理組織学的分類の記載方法を統一する目的で，甲状腺癌取扱い規約を作成し発刊した(1977)。その後，1978年にUICCのTNM分類の変更が行われた為に，この規約を準用していた本規約も変更せざるを得なくなった。委員会ではUICC規約が日本の甲状腺癌の所見を記載するのに適当でないところがあると判断し，UICC分類に大筋では合致させ乍ら日本独自の分類を作り，1983年にこれを第2版として刊行した。日本規約ではUICC分類と異なるT分類を作ったので，これを区別する為，日本規約ではTの代わりにJTと名付けた分類を新設し，N，M分類はUICC分類をそのまま日本分類に取り入れた。1987年に再びUICC規約が変更された。この度は，変更された新N分類が不都合になり，旧N分類の方が適当であると判断された為，旧N分類をJNとして，そのまま残すことになった。またリンパ節名など，他臓器の取扱い規約と統一した名称が好ましいものについては，日本癌治療学会の癌治療に関する合同委員会第二分科会（癌に関する規約総論作成委員会）の意見に従って変更した。生存率算定の項は日本癌治療学会・生存率算出規約が出版されたので削除した。その他，分かりにくい表現など細部にわたっての改正を加え，第3版として刊行することになった。

今回の変更も，従来から引き続き施行されている腫瘍登録に障害を与えることはない。登録では腫瘍の大きさ等，実際の値を記入するようになっているので，TNM分類が変わっても，新分類に組み変えることは容易で，積み上げて来た古いdataを失うことはない。腫瘍登録方法を，将来を見越してこのように決められた先人に感謝したい。

出来れば，この全面改訂に際して組織学的分類の変更も行いたいと考えたが，現在WHOのHistological Typing of Thyroid Tumoursの改訂が進行中であるので，それが完成した後に，それを参考にして，時間をかけて，より完全なものを作るのがよいとの意見から，今回は見送ることにした。

今回の改訂に当たっても，お忙しい委員の方々に集まっていただき，議論を重ねて来た。一部には完全には意見の一致をみないところもあったが，これ以上時間をかけることは困難と考えて決定した。規約委員の方々はもとより，多くの会員の方々のご協力に対し厚く感謝する。

1988年8月

規約委員代表　江　崎　治　夫

甲状腺外科検討会規約委員会（委員長　江崎治夫）

江崎治夫，飯田　太，伊藤国彦，泉雄　勝，海老原　敏

藤本吉秀，細田泰弘，牧内正夫，矢川寛一

第2版序

甲状腺外科検討会が，1977年8月に，甲状腺癌取扱い規約を作ってから6年を経過した。規約は，一度決めた以上変えないのが好ましい。現在行われている腫瘍登録も，旧規約に従って行われているし，せっかく習慣づけられたものを変えれば，現場での混乱はさけられない。しかし，旧規約は，そのままUICC規約をとり入れているので，UICC規約が全面的に改訂された，1978年には自動的に変わったことになる。1981年に甲状腺外科検討会の規約委員会で，UICCの新しい案が，わが国における甲状腺癌の所見を記すのに適当でないと判断され，全面的に改正されることになった。以後数回の会合を重ね，世話人の方々のご助言，ご承認を得て，今回ようやく発刊の運びとなったものである。

改訂の方針として，従来から行っている腫瘍登録のコンピューターに引き続き入れることができるようにすること，できるだけUICCのTNM分類に準じたものにすること，組織学的分類をWHO分類と対比させ，外国論文との比較を容易にし，必要あらばWHO分類に組みかえることができるようにしたことなどである。草案を何回作り直しても，なお問題が残り，ある程度の不満もあるが，これ以上完璧を期すことが困難であると判断して決定したしだいである。

規約委員はもとより，多くの会員の方々のご協力を賜ったことに対し，厚く感謝するしだいである。

1983年10月

規約委員代表　江　崎　治　夫

甲状腺外科検討会規約委員会（委員長　江崎治夫）
江崎治夫，飯田　太，伊藤国彦，泉雄　勝
海老原　敏，藤本吉秀，牧内正夫，矢川寛一

第1版序

甲状腺外科の研究会を作ろうという気運は，かなり昔からあったが，なかなかその機に至らなかった。ところが，1968年5月スイスのローザンヌで開かれた国際対癌連合（UICC）のConference on Thyroid Cancerが一つの動機となり，1968年6月7日同好の研究者が松本市に集まって発起人会を開き，「甲状腺外科検討会」を発足させることになった。ついで，同年9月25日第1回検討会（当番世話人丸田公雄教授）が開催され，大変な好評を博し，本会の発展の礎石となった。甲状腺外科検討会が回を重ねるにつれて，甲状腺癌のTNM分類（UICC）ではあき足らず，もっと詳しい臨床所見の記載と病理組織学的分類の統一を図ることが必要となり，「甲状腺癌取扱い規約」を作ろうということになった訳である。

この規約の編集にあたっては，委員の江崎治夫，泉雄　勝，伊藤国彦，藤本吉秀，牧内正夫，矢川寛一（ABC順）の諸先生とともに，数回にわたって草案を練り，さらに甲状腺外科検討会の会員の助言も得て，今回ようやく発刊の運びとなったものである。この規約は，まだ不備の点も多々あると思われるが，甲状腺癌の研究者にとって少しでも役立てば，幸いこれに過ぐるものはない。

初版の発行にあたって，甲状腺外科検討会の発足時の一端を紹介して序に換えたしだいである。

1977年8月

規約委員代表　降　旗　力　男

甲状腺外科検討会規約委員会（委員長　降旗力男）
江崎治夫，飯田　太，伊藤国彦，泉雄　勝
藤本吉秀，降旗力男，牧内正夫，矢川寛一

目　次

I．総　論

1．目　的

本規約は，わが国の甲状腺癌の診断および治療成績の向上を図るための基盤として，甲状腺癌の臨床的・病理学的情報を共有するための取扱い方法を示すことを目的とする。

2．対　象

本規約は，甲状腺の原発性悪性腫瘍（癌）であることが確認された症例について記載し，以下は「II．臨床的事項」として記録する対象としない。

- 再発治療例
- リンパ腫例
- 他臓器に原発した癌の甲状腺転移例
- 剖検発見例

3．記載法の原則

甲状腺癌の TNM 分類にあたり，以下を原則とする。

a. 所見を示す T（主腫瘍の大きさ・進展度），N（リンパ節転移），M（遠隔転移）などの所見は大文字のアルファベット，所見の程度はアルファベットの後にアラビア数字で表記し（例：T2），評価不能または不明の場合は X を用いる（例：TX）。所見の程度の細区分はアラビア数字の後ろに小文字のアルファベットで表記し（例：T4a），さらに区分する場合はハイフンとアラビア数字で表記する（例：N1b-2）。

b. 所見は，臨床所見（clinical findings），術中所見（surgical findings），病理所見（pathological findings）を区分し，それぞれ小文字の c，s，p を所見記号の前に付して記す。

c. cTNM 分類は術前に判定し，sTNM 分類および sEx 分類（甲状腺腫瘍の肉眼的腺外浸潤所見）は手術時に判定する。予後予測には sTNM 分類，sEx 分類を活用するのがよい。

d. 確実ではない所見（術前超音波検査でリンパ節腫大，CT 検査で単発の微小肺結節など）があり，進展度を決定し難い場合には，進展度の低い分類とする。たとえば，術前の頸部超音波検査でリンパ節腫大を認めるが転移とは断定できないときには N0 とする。また，術前の胸部 CT 検査で肺野に微小結節を認めるが転移とは診断できないときには M0 とする。

e. ただし，甲状腺癌においては術直後の検査によって癌と判明したり，その進行度が判明することがある。いくつかの例を提示する。

- 濾胞性腫瘍の術前診断で手術を施行し，術後に濾胞癌と診断した。

・広汎浸潤型濾胞癌で，術後に放射性ヨウ素シンチグラフィを行ったところ骨転移と診断した。
・乳頭癌で甲状腺全摘後に放射性ヨウ素シンチグラフィを行ったところ，肺に明らかな異常集積を認めた。

こうした事例では遡って分類することが妥当である。

4．UICC による TNM 分類と病期（Stage）分類について

a. 甲状腺癌取扱い規約第 9 版と UICC 第 8 版における TNM 分類の対応表を下記に示す。

	取扱い規約第 9 版	UICC 第 8 版
T 分類	同じ	
N 分類	N1a-1, 2, 3 N1b-1, 2	N1a N1b
M 分類	同じ	

b. 甲状腺癌の進行度（Stage）分類にあたり，以下を原則とする。
進行度分類はローマ数字を表記し（例：StageⅡ），亜分類はローマ数字の後ろに大文字のアルファベットを表記する（例：StageⅣA）。

Ⅱ．臨床的事項

A．術前の所見

1．自覚症状

a．腫瘤
b．呼吸困難
c．嗄声
d．嚥下困難
e．誤嚥
f．圧迫感
g．疼痛
h．血痰
i．その他

2．甲状腺腫瘤の所見

触診所見および超音波検査所見をもとに記載する。

a．腫瘤の占居部位

右葉，左葉，峡部（錐体葉を含める）に分け，さらに一葉を3等分し，上，中，下に分ける。

2つ以上の領域にわたるものは，より多く占める領域から順に記載する。たとえば，図1の例では右中下とする。なお，腫瘤が多発している場合には，おのおのについて記載する。

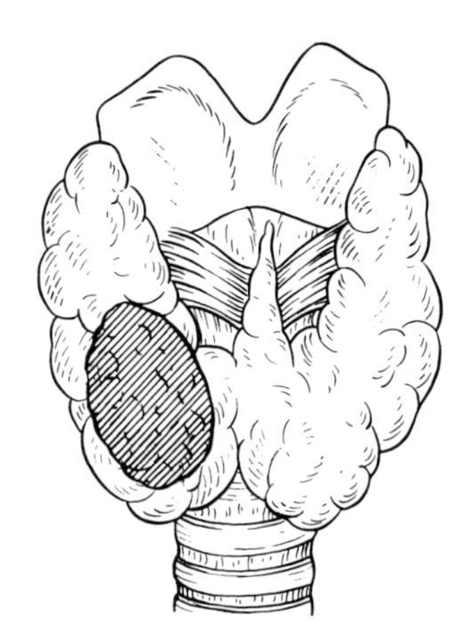

図1　甲状腺腫瘤占居部位
この例では右中下

b．腫瘤の大きさ

腫瘤の輪郭の最大径ならびにそれと直角に交わる径をmmで記載する。

注1：小数点以下の記載は求めない。

注2：腫瘤が左右両葉にびまん性に浸潤している場合には，各葉の縦，横の長さを記載する。

c．腫瘤の性状

1）**形状**：整（円形，楕円形など），不整（多角形，分葉形，カリフラワー状など）

2）**硬度**：軟，弾性硬，硬など

3）**境界**：明瞭，不明瞭

4）**表面**：平滑，不整

5）**可動制限**：なし，あり

6）**圧痛**：なし，あり

7）**急性増大**：なし，あり

d．皮膚および皮下組織

皮膚への癒着，発赤，潰瘍，瘻孔，静脈怒張，顔面浮腫などの有無および広がりの程度を記載する。

3．術前の腫瘍分類

a．cT 分類

原発腫瘍の分類は，触診，画像，内視鏡所見，細胞診断を含む病理診断などにより評価する。

cTX：原発腫瘍の評価が不可能
cT0：原発腫瘍を認めない
cT1：甲状腺に限局し最大径が 2 cm 以下の腫瘍（最大径≦ 2 cm）
　cT1 を次の 2 つに細分する
　　cT1a：甲状腺に限局し最大径が 1 cm 以下の腫瘍（最大径≦ 1 cm）
　　cT1b：甲状腺に限局し最大径が1 cmをこえ2 cm以下の腫瘍(1 cm＜最大径≦ 2 cm)
cT2：甲状腺に限局し最大径が 2 cm をこえ 4 cm 以下の腫瘍（2 cm＜最大径≦ 4 cm）
cT3：cT3 を次の 2 つに細分する
　　cT3a：甲状腺に限局し最大径が 4 cm をこえる腫瘍（4 cm＜最大径）
　　cT3b：大きさを問わず前頸筋群（胸骨舌骨筋，胸骨甲状筋あるいは肩甲舌骨筋）に明らかに浸潤する腫瘍
cT4：cT4 を次の 2 つに細分する
　　cT4a：術前に明らかな声帯麻痺を認めるもの，気管や食道内腔まで浸潤するもの，皮下脂肪組織にまで到達していると考えられるもの
　　cT4b：椎骨前筋群の筋膜，縦隔の大血管に浸潤するあるいは頸動脈を取り囲む腫瘍

注 1：多発性腫瘍では最も大きい腫瘍の cT に（m）を付記する。
注 2：甲状腺周囲の静脈への腫瘍塞栓は cT4a に相当する。
注 3：甲状腺外への浸潤はその部位を日本語で記載する。例）cT4a（気管，右反回神経）
注 4：甲状腺外への浸潤があり，かつ多発性腫瘍を認める場合にはそれを併記する。例）cT4a（m）（気管，右反回神経）

b．cN 分類

所属リンパ節（頸部および上縦隔リンパ節）への転移は，触診と画像診断，細胞診断を含む病理診断などにより分類する。

cNX：所属リンパ節の評価が不可能
cN0 ：所属リンパ節転移なし
cN1 ：所属リンパ節転移あり
　cN1 を次のように細分する
　　cN1a：頸部中央区域リンパ節（Ⅰ，Ⅱ，Ⅲ，Ⅳ，Ⅺ）に転移あり
　　　cN1a-1：転移リンパ節の最大径が 3 cm 以下かつ節外浸潤なし
　　　cN1a-2：転移リンパ節の最大径が 3 cm をこえる，または節外浸潤が疑われる
　　　cN1a-3：転移リンパ節がⅪb に及ぶ
　　cN1b：一側，両側もしくは対側の頸部外側区域リンパ節（Va，Vb，Ⅵ，Ⅶ，Ⅷ，Ⅸ）に転移あり
　　　cN1b-1：転移リンパ節の最大径が 3 cm 以下かつ節外浸潤なし
　　　cN1b-2：転移リンパ節の最大径が 3 cm をこえる，または節外浸潤が疑われる

注 1：転移リンパ節の最大径が 3 cm をこえる場合には，その最大長径を mm で記載する。
　　例）cN1b-2（40 mm）
注 2：転移リンパ節の節外浸潤は，その部位を日本語で記載する。
　　例）cN1b-2（右横隔神経，右内頸静脈）
注 3：最大径が 3 cm をこえる，かつ節外浸潤が疑われる場合にはそれを併記する。
　　例）cN1b-2（40 mm，右横隔神経）

所属リンパ節の解剖学的分類は，図 2 および表 1 に従う。

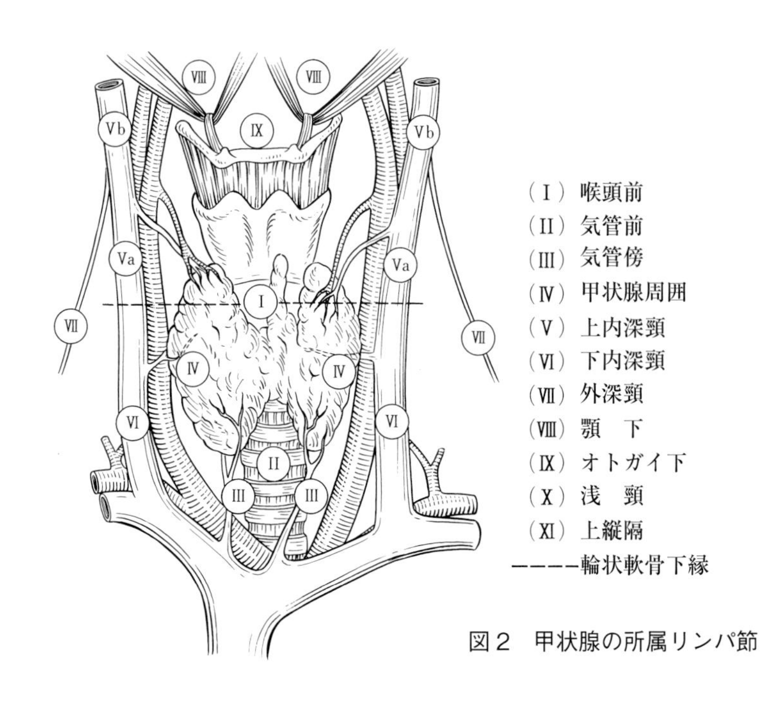

図 2　甲状腺の所属リンパ節

表1　所属リンパ節の定義

甲状腺癌取扱い規約	定　義	AJCC*第8版
Ⅰ　喉頭前	甲状軟骨，輪状軟骨前面のリンパ節	Level Ⅵ
Ⅱ　気管前	甲状腺下縁から胸骨上切痕の高さまでの気管前のリンパ節	Level Ⅵ
Ⅲ　気管傍	気管側面のリンパ節で，尾側は胸骨上切痕の高さまで，頭側は反回神経が喉頭に入るところまでとする	Level Ⅵ
Ⅳ　甲状腺周囲	甲状腺の前面および側面に接するリンパ節	Level Ⅵ
Ⅴ　上内深頸	内頸静脈に沿ったリンパ節で，輪状軟骨の下縁より頭側のもの さらに総頸動脈分岐部で上下に二分する Va：総頸動脈分岐部より尾側のリンパ節 Vb：総頸動脈分岐部より頭側のリンパ節	 Level Ⅲ Level Ⅱ
Ⅵ　下内深頸	内頸静脈に沿ったリンパ節で，輪状軟骨の下縁よりも尾側のもの	Level Ⅳ
Ⅶ　外深頸	胸鎖乳突筋後縁と僧帽筋前縁と肩甲舌骨筋でつくる三角のリンパ節	Level Ⅴ
Ⅷ　顎　下	顎下三角のリンパ節	Level Ⅰ
Ⅸ　オトガイ下	オトガイ下三角のリンパ節	Level Ⅰ
Ⅹ　浅　頸	胸骨舌骨筋および胸鎖乳突筋の浅葉筋膜より表層のリンパ節	
Ⅺ　上縦隔	胸骨上切痕の高さより尾側の縦隔リンパ節 さらに無名静脈上縁で上下に二分する Ⅺa：胸骨上切痕から無名静脈上縁までのリンパ節 Ⅺb：無名静脈上縁から尾側のリンパ節	Level Ⅶ

注1：Ⅰ，Ⅱ，Ⅲ，ⅣおよびⅪa，Ⅺbを頸部中央区域リンパ節，Va，Vb，Ⅵ，Ⅶ，Ⅷを頸部外側区域リンパ節と称する。

注2：Ⅺbはリンパ節上端が無名静脈上縁より尾側にあるものと定義する。

*AJCC：American Joint Committee on Cancer

c．cM分類

遠隔転移の分類は，理学的所見と画像診断により分類する。

cM0：遠隔転移なし

cM1：遠隔転移あり（転移部位を記載する）

注：遠隔転移ありの場合には転移部位を日本語で記載する。

例）cM1（肺，骨）

d．cStage分類

臨床病期（cStage）の判定は，UICC*分類に従う（p17参照）。

*UICC：Union for International Cancer Control

4．術前所見チェックリスト

自覚症状　□なし　□あり〔□腫瘤　□呼吸困難　□嗄声　□嚥下困難　□誤嚥
□圧迫感　□疼痛　□血痰　□その他（　　　）〕

甲状腺腫瘤の所見

占居部位　□右葉　□左葉　□峡部
□上　□中　□下

大きさ　（　　）×（　　）mm

腫瘤の性状

形状　□整　□不整

硬度　□軟　□弾性硬　□硬

境界　□明瞭　□不明瞭

表面　□平滑　□不整

可動制限　□なし　□あり

圧痛　□なし　□あり

急性増大　□なし　□あり

皮膚所見　□なし　□あり（　　　　　）

腺外浸潤　□なし　□あり（　　　　　）

多発性腫瘍　□なし　□あり

所属リンパ節転移

部位　□Ⅰ　□Ⅱ　□Ⅲ　□Ⅳ　□Ⅴa　□Ⅴb　□Ⅵ　□Ⅶ　□Ⅷ　□Ⅸ　□Ⅹ
□Ⅺa　□Ⅺb

大きさ　（　　）mm

節外浸潤　□なし　□あり（　　　　　）

遠隔転移　□なし　□あり（　　　　　）

cT 分類　□ cTX　□ cT0　□ cT1a　□ cT1b　□ cT2　□ cT3a　□ cT3b　□ cT4a　□ cT4b

cN 分類　□ cNX　□ cN0　□ cN1a-1　□ cN1a-2　□ cN1a-3　□ cN1b-1　□ cN1b-2

cM 分類　□ cM0　□ cM1

cStage 分類　□ cStageⅠ　□ cStageⅡ　□ cStageⅢ　□ cStageⅣA　□ cStageⅣB　□ cStageⅣC

B．手術時の所見・外科治療の内容

以下の項目を手術時の所見と外科治療の内容として記録する。

1．甲状腺腫瘤の所見

a．腫瘤の占居部位

右葉，左葉，峡部（錐体葉を含める）に分け，さらに一葉を3等分し，上，中，下に分ける。2つ以上の領域にわたるものは，より多く占める領域から順に記載する。

b．腫瘤の大きさ

腫瘤の輪郭の最大径ならびにそれと直角に交わる径をmmで記載する。

注1：小数点以下の記載は求めない。

注2：腫瘤が左右両葉にびまん性に浸潤している場合には，各葉の縦，横の長さを記載する。

c．腫瘤および甲状腺の割面

1）腫瘤の割面：(a）限局型と（b）浸潤型に大別する。前者はさらに（1）充実型と（2）嚢胞型に分類する。

2）甲状腺内の多発の有無を記載する。

3）石灰沈着，緻密な線維性間質形成，出血，壊死などについても付記する。

注：臨床医による腫瘍への割入れについては病理医との相談に基づいて行うことが望ましい。

2．手術時の腫瘍分類

a．sT 分類（甲状腺腫瘍の肉眼的所見）

sTX：原発腫瘍の評価が不可能
sT0 ：原発腫瘍を認めない
sT1 ：甲状腺に限局し最大径が 2 cm 以下の腫瘍（最大径≦ 2 cm）
　sT1 を次の 2 つに細分する
　　sT1a：甲状腺に限局し最大径が 1 cm 以下の腫瘍（最大径≦ 1 cm）
　　sT1b：甲状腺に限局し最大径が 1 cm をこえ 2 cm 以下の腫瘍（1 cm＜最大径≦ 2 cm）
sT2 ：甲状腺に限局し最大径が 2 cm をこえ 4 cm 以下の腫瘍（2 cm＜最大径≦ 4 cm）
sT3 ：sT3 を次の 2 つに細分する
　　sT3a：甲状腺に限局し最大径が 4 cm をこえる腫瘍（4 cm＜最大径）
　　sT3b：大きさを問わず前頸筋群（胸骨舌骨筋，胸骨甲状筋あるいは肩甲舌骨筋），副甲状腺に明らかに浸潤する腫瘍（sEx1b に相当する）
sT4 ：sT4 を次の 2 つに細分する
　　sT4a：大きさを問わず，次のいずれかに明らかに浸潤する：皮下脂肪組織，喉頭，気管，食道，反回神経（sEx2 に相当する）
　　sT4b：大きさを問わず，椎骨前筋群の筋膜，縦隔の大血管に明らかに浸潤する，あるいは頸動脈を取り囲む腫瘍（sEx3 に相当する）

注 1：多発性腫瘍では最も大きい腫瘍の sT に（m）を付記する。
注 2：甲状腺周囲の静脈への腫瘍塞栓は sT4a に相当する。
注 3：周囲脂肪組織のみへの浸潤は甲状腺に限局しているとみなす。

b．sEx 分類（甲状腺腫瘍の肉眼的腺外浸潤所見）

sExX：甲状腺腫瘍の腺外浸潤が不明
sEx0 ：甲状腺腫瘍の腺外浸潤なし
sEx1a：甲状腺腫瘍の腺外浸潤が周囲の脂肪組織に及ぶ
sEx1b：甲状腺腫瘍の腺外浸潤が前頸筋群（胸骨舌骨筋，胸骨甲状筋あるいは肩甲舌骨筋），副甲状腺に及ぶ
sEx2a：甲状腺腫瘍の腺外浸潤が気管外膜および気管軟骨，反回神経，食道筋層，輪状甲状筋，下咽頭収縮筋まで及ぶ
sEx2b：甲状腺腫瘍の腺外浸潤が皮下脂肪組織，気管粘膜，食道粘膜，内頸静脈，腕頭静脈，喉頭・咽頭内，胸鎖乳突筋まで及ぶ
sEx3 ：甲状腺腫瘍の腺外浸潤が椎骨前筋群の筋膜，縦隔の大血管，頸動脈まで及ぶ

注 1：sEx1 以上は T 分類の後ろにその浸潤部位を（　）内に記載する。
例）sT4a-Ex2b（右反回神経，気管粘膜）
注 2：sEx1 以上，かつ多発性腫瘍を認める場合にはそれを併記する。
例）sT4a(m)-Ex2b（右反回神経，気管粘膜）

c．sN 分類（所属リンパ節の肉眼所見）

sNX：所属リンパ節の評価が不可能
sN0 ：所属リンパ節転移なし
sN1 ：所属リンパ節転移あり
sN1 を次のように細分する
sN1a：頸部中央区域リンパ節（Ⅰ，Ⅱ，Ⅲ，Ⅳ，Ⅺ）に転移あり
sN1a-1：転移リンパ節の最大径が 3 cm 以下かつ節外浸潤なし
sN1a-2：転移リンパ節の最大径が 3 cm をこえる，または節外浸潤あり
sN1a-3：転移リンパ節がⅪb に及ぶ
sN1b：一側，両側もしくは対側の頸部外側区域リンパ節（Va，Vb，Ⅵ，Ⅶ，Ⅷ，Ⅸ）に転移あり
sN1b-1：転移リンパ節の最大径が 3 cm 以下かつ節外浸潤なし
sN1b-2：転移リンパ節の最大径が 3 cm をこえる，または節外浸潤あり

注 1：転移リンパ節の最大径が 3 cm をこえる場合には，その最大長径を mm で記載する。
例）sN1b-2（40 mm）
注 2：転移リンパ節の節外浸潤は，その部位を日本語で記載する。
例）sN1b-2（右横隔神経，右内頸静脈）
注 3：最大径が 3 cm をこえる，かつ節外浸潤が疑われる場合にはそれを併記する。
例）sN1b-2（40 mm，右横隔神経）

d．sStage 分類

臨床病期（sStage）の判定は，UICC 分類に従う（p17 参照）。なお，転移リンパ節の節外浸潤は sT4a とはしない。

3．甲状腺切除範囲：以下のように分類する

分　類	定　義
a．全　摘	甲状腺を全て切除する
b．準全摘	副甲状腺を温存するため，これに接する甲状腺組織をわずかに残す（1 g 以下）
c．亜全摘	甲状腺のおよそ 2/3 以上を切除する 甲状腺組織の残存した部位を明記する
d．葉切除	片葉を切除する（峡部，錐体葉を併せて切除する場合も含む）
e．葉部分切除	片葉で，一部を残す
f．峡部切除	峡部を切除する（錐体葉を併せて切除する場合も含む）
g．核　出	腫瘍のみを摘出する
h．その他	上記 a から g に含まれない手術（診断目的の生検は除く）

4．リンパ節郭清範囲（D 分類）

D0 ：郭清なし

D1 ：Ⅰ，Ⅱ，Ⅲ，Ⅳ，Ⅺa の全て，または一部を郭清

　D1uni：片側の D1 郭清

　D1bil：両側の D1 郭清

D2a：D1 に加えて，Ⅴa，Ⅵを郭清

D2b：D2a に加えて，Ⅴb，Ⅶを郭清

D3a：両側の D2a

D3b：両側の D2b，または片側の D2a と対側の D2b

D3c：D2 または D3，かつⅪb

5．合併切除：その有無を明記する

合併切除なし	
合併切除あり	●合併切除した組織・臓器名を記載する ●神経，気管，食道，血管などの切除に際して再建術を行った場合は，その術式を併記する

6．その他の手術

気管切開（気管皮膚瘻造設）など，その他の手術を行った場合は，その術式を併記する。

7．腫瘍の遺残（R 分類）：以下のように記載する

RX：遺残不明
R0 ：癌の遺残がない
R1 ：癌の顕微鏡的遺残が疑われる
R2 ：癌の肉眼的遺残がある

注：R1，R2 の場合は腫瘍の遺残部位を記す。
例）R2（気管）

8．手術合併症：以下の有無について記載する

a．後出血
b．反回神経麻痺
c．喉頭浮腫
d．副甲状腺機能低下
e．乳び漏
f．創感染
g．ホルネル徴候
h．肺血栓塞栓症
i．横隔神経麻痺
j．その他

9．手術時の所見・外科治療の内容チェックリスト

甲状腺腫瘤の所見

占居部位　□右葉　□左葉　□峡部
　　　　　□上　□中　□下
大きさ　（　　）×（　　）mm
腫瘤の割面　□限局型（□充実型　□嚢胞型）　□浸潤型
多発性腫瘍　□なし　□あり

腺外浸潤　□なし　□あり（　　　　　）

所属リンパ節転移

部位　□Ⅰ　□Ⅱ　□Ⅲ　□Ⅳ　□Ⅴa　□Ⅴb　□Ⅵ　□Ⅶ　□Ⅷ　□Ⅸ　□Ⅹ
　　　□Ⅺa　□Ⅺb
大きさ　（　　）mm
節外浸潤　□なし　□あり（　　　　　）

sT 分類　□ sTX　□ sT0　□ sT1a　□ sT1b　□ sT2　□ sT3a　□ sT3b　□ sT4a　□ sT4b
sEx 分類　□ sExX　□ sEx0　□ sEx1a　□ sEx1b　□ sEx2a　□ sEx2b　□ sEx3
sN 分類　□ sNX　□ sN0　□ sN1a-1　□ sN1a-2　□ sN1a-3　□ sN1b-1　□ sN1b-2
sStage 分類　□ sStageⅠ　□ sStageⅡ　□ sStageⅢ　□ sStageⅣA　□ sStageⅣB　□ sStageⅣC

甲状腺切除範囲　□全摘　□準全摘　□亜全摘　□葉切除　□葉部分切除　□峡部切除
　　　　　　　　□核出　□その他（　　　　　）
リンパ節郭清範囲　□ D0　□ D1uni　□ D1bil　□ D2a　□ D2b　□ D3a　□ D3b　□ D3c
合併切除　□なし　□あり（　　　　　　　）
その他の手術　□なし　□あり（　　　　　　　）
R 分類　□ RX　□ R0　□ R1　□ R2　遺残部位（　　　　　　）

手術合併症　□なし　□後出血　□反回神経麻痺　□喉頭浮腫　□副甲状腺機能低下
　　　　　　□乳び漏　□創感染　□ホルネル徴候　□肺血栓塞栓症　□横隔神経麻痺
　　　　　　□その他（　　　　　　　）

C．術後組織所見

1．組織学的所見

a．pT 分類

pTX：原発腫瘍の評価が不可能

pT0 ：原発腫瘍を認めない

pT1 ：甲状腺に限局し最大径が 2 cm 以下の腫瘍（最大径≦ 2 cm）

　pT1 を次の 2 つに細分する

　　pT1a：甲状腺に限局し最大径が 1 cm 以下の腫瘍（最大径≦ 1 cm）

　　pT1b：甲状腺に限局し最大径が1 cmをこえ2 cm以下の腫瘍(1 cm＜最大径≦ 2 cm)

pT2 ：甲状腺に限局し最大径が 2 cm をこえ 4 cm 以下の腫瘍（2 cm＜最大径≦ 4 cm）

pT3 ：pT3 を次の 2 つに細分する

　　pT3a：甲状腺に限局し最大径が 4 cm をこえる腫瘍（4 cm＜最大径）

　　pT3b：大きさを問わず前頸筋群（胸骨舌骨筋，胸骨甲状筋あるいは肩甲舌骨筋），副甲状腺に明らかに浸潤する腫瘍

pT4 ：pT4 を次の 2 つに細分する

　　pT4a：大きさを問わず，次のいずれかに明らかに浸潤する：皮下脂肪組織，喉頭，気管，食道，反回神経

　　pT4b：大きさを問わず，椎骨前筋群の筋膜，縦隔の大血管に明らかに浸潤する，あるいは頸動脈を取り囲む腫瘍

注 1：断端の所見を記載する必要はない。
注 2：多発性腫瘍では最も大きい腫瘍の pT に（m）を付記する。
注 3：周囲脂肪組織のみへの浸潤は甲状腺に限局しているとみなす。
注 4：甲状腺周囲の静脈への腫瘍塞栓は pT4a に相当する。
注 5：sT3b，sT4a，sT4b だが，組織学的に判定不能な場合は，pT3X，pT4X と記載する。

b．pN 分類

pNX：所属リンパ節の評価が不可能
pN0 ：所属リンパ節転移なし
pN1 ：所属リンパ節転移あり
　pN1 を次のように細分する
　　pN1a：頸部中央区域リンパ節（Ⅰ，Ⅱ，Ⅲ，Ⅳ，Ⅺ）に転移あり
　　　pN1a-1：転移リンパ節の最大径が 3 cm 以下かつ節外浸潤なし
　　　pN1a-2：転移リンパ節の最大径が 3 cm をこえる，または節外浸潤あり
　　　pN1a-3：転移リンパ節がⅪb に及ぶ
　　pN1b：一側，両側もしくは対側の頸部外側区域リンパ節（Va，Vb，Ⅵ，Ⅶ，Ⅷ，Ⅸ）に転移あり
　　　pN1b-1：転移リンパ節の最大径が 3 cm 以下かつ節外浸潤なし
　　　pN1b-2：転移リンパ節の最大径が 3 cm をこえる，または節外浸潤あり

2．pStage 分類

臨床病期（pStage）の判定は，UICC 分類に従う（p17 参照）。

D．手術以外の治療

以下について，実施の有無を記載する。

1．TSH 抑制療法
2．放射性ヨウ素内用療法
3．放射線外照射治療
4．分子標的薬治療
5．化学療法
6．その他

Ⅲ．UICC による TNM 分類と病期（Stage）分類

表 1　病期分類

乳頭癌および濾胞癌（分化型），髄様癌，および未分化癌に関して，異なる病期分類を用いる。

乳頭癌または濾胞癌

55 歳未満

Ⅰ期	T に関係なく	N に関係なく	M0
Ⅱ期	T に関係なく	N に関係なく	M1

55 歳以上

Ⅰ期	T1a，T1b，T2	N0	M0
Ⅱ期	T3	N0	M0
	T1，T2，T3	N1	M0
Ⅲ期	T4a	N に関係なく	M0
ⅣA期	T4b	N に関係なく	M0
ⅣB期	T に関係なく	N に関係なく	M1

髄様癌

Ⅰ期	T1a，T1b	N0	M0
Ⅱ期	T2，T3	N0	M0
Ⅲ期	T1，T2，T3	N1a	M0
ⅣA期	T1，T2，T3	N1b	M0
	T4a	N に関係なく	M0
ⅣB期	T4b	N に関係なく	M0
ⅣC期	T に関係なく	N に関係なく	M1

未分化癌

ⅣA期	T1，T2，T3a	N0	M0
ⅣB期	T1，T2，T3a	N1	M0
	T3b，T4a，T4b	N0，N1	M0
ⅣC期	T に関係なく	N に関係なく	M1

UICC 日本委員会 TNM 委員会訳：TNM 悪性腫瘍の分類．第 8 版，金原出版，2017 より転載

表2　要　約

甲状腺	
T 分類	
T1a	腫瘍最大径≦ 1 cm，甲状腺内
T1b	1 cm ＜腫瘍最大径≦ 2 cm，甲状腺内
T2	2 cm ＜腫瘍最大径≦ 4 cm，甲状腺内
T3a	4 cm ＜腫瘍最大径，甲状腺内
T3b	前頸筋群に明らかに浸潤
T4a	皮下脂肪組織，喉頭，気管，食道，反回神経への明らかな浸潤
T4b	椎前筋膜，縦隔内の血管への明らかな浸潤，または頸動脈を全周性に取り囲む
N 分類	
N1a	頸部中央区域リンパ節
N1b	他の所属リンパ節

UICC 日本委員会 TNM 委員会訳：TNM 悪性腫瘍の分類．第 8 版，金原出版，2017 より作成
注：副甲状腺浸潤は T3b に相当する。

Ⅳ．甲状腺腫瘍の病理診断

第 8 版甲状腺癌取扱い規約の組織学的分類は，2017 年の WHO 分類第 4 版を受けて改訂されたが，境界病変などで相違点があった。境界病変は北米での過剰診断，過剰治療を防ぐために導入された概念であるが，本邦では過剰診断は問題となっていないため採用されなかった。第 9 版の組織学的分類は，原則的に WHO 分類第 5 版に沿って改訂されている。これに伴って甲状腺腫瘍の発生や進行に関わる遺伝子異常の記載が加えられ，遺伝子異常を重視して組織学的分類の一部が変更され，腫瘍の分化度や悪性度の観点から分類項目が並べられている。腺腫様甲状腺腫は，WHO 分類では濾胞結節性疾患への名称変更が提唱され良性腫瘍にいれられているが，本分類では名称変更せずに腫瘍様病変として扱われている。第 8 版で採用されなかった境界病変が，低リスク腫瘍として良性腫瘍と悪性腫瘍の間に組み入れられている。従来の濾胞腺腫と被包化濾胞型乳頭癌の一部が低リスク腫瘍に再分類される。ただし，濾胞性腫瘍の被膜浸潤と血管浸潤の疑い所見を明示し乳頭癌の核所見をスコア化するとともに，第 8 版と第 9 版の診断名の併記を許容することにより，従来との整合性を図っている。好酸性細胞型の濾胞腺腫と濾胞癌は，それぞれ膨大細胞腺腫と膨大細胞癌に名称変更され独立して扱われる。篩型乳頭癌は篩状モルラ癌に名称変更され，その他の腫瘍として独立して扱われる。低分化癌と同様の悪性度を示す腫瘍として，高異型度分化癌の概念が付記されている。細胞診報告様式は組織分類の変更に合わせて微修正されている。

甲状腺腫瘍の遺伝子異常

甲状腺腫瘍の組織分類は形態学的に定義されるが，各腫瘍のドライバー遺伝子の異常が考慮されている。甲状腺腫瘍の病理診断のみならず，治療法の選択や，分子標的薬の適応においても遺伝子異常の知識が重要となっている。甲状腺濾胞細胞由来の高分化癌の大部分はドライバー遺伝子により 2 つに大別されることが明らかになっている。濾胞癌をはじめとする濾胞構造を示し膨張性に増殖して被膜を伴う腫瘍は *RAS* 系腫瘍と呼ばれ，*N-/H-/KRAS* 変異が高頻度にみられるとともに，*PAX8::PPARG* 再構成などがみられる。*RAS* 系腫瘍には被包化された濾胞型乳頭癌も含まれ，ヨウ素代謝・ホルモン関連遺伝子が発現され，分化がよく保たれていると考えられる。一方，乳頭癌には高頻度に *BRAF* p.V600E 変異と *RET* や *NTRK* の融合遺伝子が互いに排他的にみられ，*BRAF* 系腫瘍と呼ばれる。*BRAF* 系腫瘍は乳頭状構造と典型的な乳頭癌の核所見を示し，ホルモン分化は相対的に悪い。NIFTP は基本的に *RAS* 系腫瘍とされ，*BRAF* p.V600E が検出されれば *BRAF* 系腫瘍である濾胞型乳頭癌が考えられる。

腫瘍の悪性度は，ドライバー遺伝子に加えて生じる遺伝子変異が重要である。*TP53*，*PIK3CA*，*PTEN* および *TERT* プロモーターの変異などが高リスクの変異であり，高異型度分化癌や低分化癌，さらに未分化癌でより頻度が高くみられる。膨大細胞腫瘍（好酸性細胞腫瘍）にはミトコンドリア遺伝子の変異や単数体に近い核型などの特徴的な遺伝子異常が認められる。

C細胞由来の髄様癌では，*RET*遺伝子変異がドライバー変異として認められる。遺伝性の多発性内分泌腫瘍症2型や家族性髄様癌のほとんどの症例に*RET*遺伝子の胚細胞変異が認められる。散発性髄様癌では*RET*遺伝子の体細胞変異が約半数に認められ，*RAS*変異がこれに次ぐ。

A．甲状腺切除検体の取扱い

1．固定法

切除甲状腺をできるだけ割を入れずに速やかに十分量の10％中性緩衝ホルマリン液に浸す。大きい腫瘤には固定前に割を入れてもよいが，ホルマリン注入固定を行うのが望ましい。固定前に割を入れる場合は，病理検索に支障がないように十分注意する。

2．切開法

固定された甲状腺は，基本的には矢状断（図1a）で割を入れる。ただし，周囲組織との関係や画像との対比の関係から必要な場合は水平断（図1b）でもよい。3～5 mm間隔でスライスする。

3．肉眼観察と切出し法

割面をよく観察し，腫瘤の性状，腫瘤の境界，前頸筋群などの周囲組織との関係に注意して切り出す（図2）。石灰化病巣は無理に割を入れず，できるだけ病巣の部分だけを分けて切り出し，脱灰後に割を入れる。EDTA脱灰が推奨され，切除甲状腺全体を脱灰液に入れることは望ましくない。濾胞癌や悪性度不明な濾胞型腫瘍が疑われる場合は，被膜部分を中心に多数標本を作製することが望まれる。血管浸潤は被膜内あるいは直下に多くみられるためである。明らかな悪性腫瘍では付着する他臓器（筋肉など）を含む割面で標本を作製する必要がある。付着している副甲状腺あるいはリンパ節は必ず標本にする。

4．遺伝子検査用標本処理

切除甲状腺は摘出から2時間以内に固定し，固定時間は48時間以内が望ましい。ホルマリン固定パラフィン包埋標本を薄切し，コーティングなしのスライドガラスに貼り付け，脱パラフィン後，腫瘍部を削り取って核酸抽出するか，薄切組織切片を直接チューブに入れ，脱パラフィン後に核酸抽出する。腫瘍の場合はなるべく充実領域から標本を採取する。

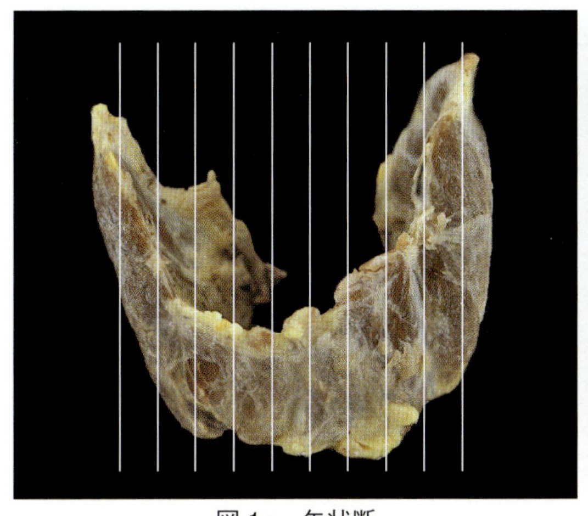

図 1a　矢状断

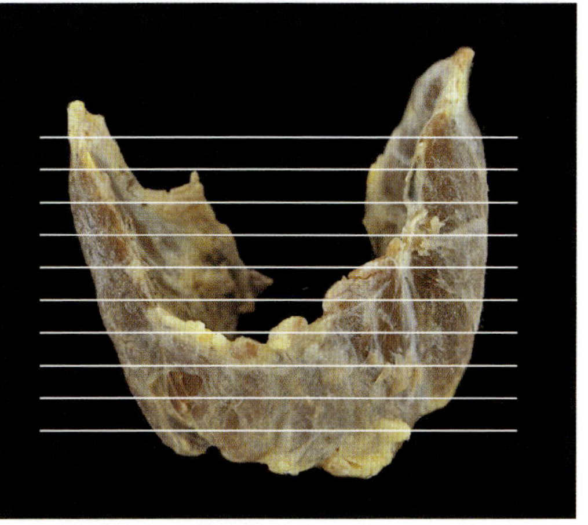

図 1b　水平断

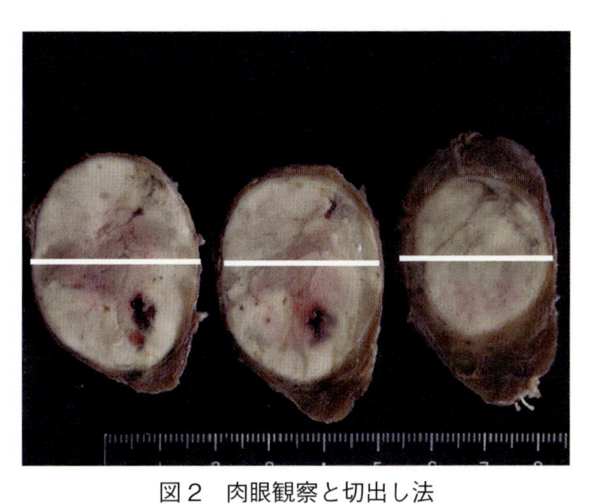

図 2　肉眼観察と切出し法

腫瘤の境界を観察できるように割を入れ，多数の切り出しをする。

B．組織学的分類

1．腫瘍様病変の腺腫様甲状腺腫を良性腫瘍の前に配置する。2．良性腫瘍と 4．悪性腫瘍の間に 3．低リスク腫瘍の項目を設け，NIFTP，UMP，硝子化索状腫瘍を分類する。悪性腫瘍に濾胞癌，乳頭癌，低分化癌，未分化癌，髄様癌，混合性髄様癌・濾胞細胞癌，リンパ腫を分類する。また，良性および悪性の濾胞細胞起源腫瘍に膨大細胞腺腫と膨大細胞癌をそれぞれ独立して分類する。その他の腫瘍には組織発生不明と甲状腺外組織発生の腫瘍が含まれる（表 1）。

表1　甲状腺腫瘍の組織学的分類

分類	ICD-O
1．腫瘍様病変 Tumor-like lesions	
a．腺腫様甲状腺腫 Adenomatous goiter	—
2．良性腫瘍 Benign tumors	
a．濾胞腺腫 Follicular adenoma	8330/0
b．膨大細胞腺腫 Oncocytic adenoma	8290/0
3．低リスク腫瘍 Low-risk neoplasms	
a．乳頭癌様核所見を伴う非浸潤性濾胞型腫瘍 Noninvasive follicular thyroid neoplasm with papillary-like nuclear features（NIFTP）	8349/1
b．悪性度不明な腫瘍 Tumors of uncertain malignant potential（UMP）	8335/1, 8348/1
c．硝子化索状腫瘍 Hyalinizing trabecular tumor	8336/1
4．悪性腫瘍 Malignant tumors	
a．濾胞癌 Follicular carcinoma	8330/3
浸潤様式からみた分類	
1）微少浸潤型濾胞癌 Follicular carcinoma, minimally invasive	8335/3
2）被包化血管浸潤型濾胞癌 Follicular carcinoma, encapsulated angioinvasive	8339/3
3）広汎浸潤型濾胞癌 Follicular carcinoma, widely invasive	8330/3
b．乳頭癌 Papillary carcinoma	8260/3, 8341/3
亜型 Subtypes	
1）濾胞型乳頭癌 Papillary carcinoma, follicular subtype	8340/3
2）大濾胞型乳頭癌 Papillary carcinoma, macrofollicular subtype	8340/3
3）好酸性細胞型乳頭癌 Papillary carcinoma, oxyphilic cell subtype	8342/3
4）びまん性硬化型乳頭癌 Papillary carcinoma, diffuse sclerosing subtype	8350/3
5）高細胞型乳頭癌 Papillary carcinoma, tall cell subtype	8344/3
6）円柱細胞型乳頭癌 Papillary carcinoma, columnar cell subtype	8344/3
7）充実型乳頭癌 Papillary carcinoma, solid subtype	8260/3
8）ホブネイル型乳頭癌 Papillary carcinoma, hobnail subtype	8260/3
9）その他の亜型 Other subtypes	8260/3
c．膨大細胞癌 Oncocytic carcinoma	8290/3
d．低分化癌 Poorly differentiated carcinoma	8337/3
付）高異型度分化癌 High-grade differentiated carcinoma	
e．未分化癌 Anaplastic carcinoma	8020/3
f．髄様癌 Medullary carcinoma	8345/3
g．混合性髄様癌・濾胞細胞癌 Mixed medullary and follicular cell carcinoma	8346/3
h．リンパ腫 Lymphoma	9590/3
5．その他の腫瘍 Other tumors	
a．篩状モルラ癌 Cribriform morular carcinoma	8260/3
b．粘表皮癌 Mucoepidermoid carcinoma	8430/3
c．好酸球増多を伴う硬化性粘表皮癌 Sclerosing mucoepidermoid carcinoma with eosinophilia	8430/3
d．胸腺様分化を伴う紡錘形細胞腫瘍 Spindle epithelial tumor with thymus-like differentiation（SETTLE）	8588/3
e．甲状腺内胸腺癌 Intrathyroid thymic carcinoma（ITC）	8589/3
f．甲状腺芽腫 Thyroblastoma	—
g．肉腫 Sarcomas	8800/3
h．その他 Others	
i．続発性（転移性）腫瘍 Secondary（metastatic）tumors	
6．その他の甲状腺疾患 Other thyroid diseases	
a．嚢胞 Cyst	—

（右の数字はICD-Oコード）

C．組織型の説明

1．腫瘍様病変　Tumor-like lesions

a．腺腫様甲状腺腫　Adenomatous goiter

甲状腺濾胞が多結節性に増殖し腫大する病変で，単結節性のこともある。濾胞結節性疾患 follicular nodular disease や多結節性甲状腺腫 multinodular goiter とも呼ばれる。結節が1個あるいはごく少数の場合は腺腫様結節 adenomatous nodule と呼ばれ，濾胞腺腫との鑑別が問題となる。原因は多様で，結節にクロナリティーや遺伝子変異がみられることがある。

肉眼的に大小の複数の結節が不均等にみられる。結節の性状は多彩で，飴色コロイドの貯留，変性，壊死，出血，嚢胞形成，瘢痕線維化，石灰化などの像が不規則に混在してみられる。充実性結節もしばしば共存して認められる（図3）。

組織学的に結節を構成する濾胞は大きいものが多いが，小さいものも混在する。コロイドが充満し嚢胞状に拡張したコロイド結節もみられる。濾胞細胞も扁平なものから円柱状のものまで認められる（図4）。好酸性濾胞細胞からなる結節もみられる。大きな濾胞腔内に小濾胞が集簇し限局性に突出する像（Sanderson polster）は特徴的な所見の一つである。濾胞細胞の重積や乳頭様構造がみられることもあるが，乳頭癌の核所見は欠く。結節の二次的な変化として，出血，ヘモジデリン沈着，濾胞破綻，肉芽腫反応，泡沫細胞を伴う嚢胞形成，リンパ球の浸潤などがみられる。結節の周囲濾胞に対する圧排所見は乏しく，通常は全周性の被膜形成を欠く。非結節部の甲状腺組織にも結節類似の変化がみられる。

なお，腺腫様甲状腺腫は甲状腺機能亢進症を伴うことがある。甲状腺両葉が多結節性に腫大する場合は，家族性のホルモン合成障害性甲状腺腫 dyshormonogenetic goiter との鑑別を要する。

2．良性腫瘍　Benign tumors

a．濾胞腺腫　Follicular adenoma

濾胞腺腫は濾胞細胞のクローナルな腫瘍性増殖で，周囲甲状腺組織を圧排し線維性被膜が形成される（図5）。被膜浸潤や血管浸潤はなく，乳頭癌の核所見はみられないが，*RAS* 系の遺伝子変異がみられることがある。線維性被膜は全周にわたって存在するが，その厚さは症例により様々である。被膜に石灰化や骨化をみるものもある。被膜から腫瘍内へ分け入るような線維化ないし分葉化は通常認められない。腫瘍細胞は立方状，円柱状，多角形など多彩な形態を示しうるが，1つの腫瘍内では比較的一様である。腫瘍細胞の核は円形高色素性で軽度腫大するが，乳頭癌に特徴的な核所見は存在しない。増殖パターンは小濾胞状構造が主体であるが（図6），大小の濾胞が混在することもある（図7）。大濾胞が主体の場合は腺腫様甲状腺腫との鑑別が問題になる。間質は通常少なく，濾胞間には毛細血管が豊富である。浮腫，線維化，硝子化，出血，石灰化，軟骨化生，骨化生，嚢胞形成などの二次的変化を部分的に伴うものもある。

腫瘍の全部ないし大部分が淡明な細胞質を有する細胞からなるものを明細胞型濾胞腺腫 follicular adenoma, clear cell subtype（図 8）と呼ぶ。明細胞はミトコンドリアの風船化，脂肪あるいはグリコーゲンの蓄積，サイログロブリンの貯留などにより，副甲状腺の腺腫などとの鑑別に注意を要する。また印環細胞型の腫瘍細胞を伴う印環細胞型濾胞腺腫 follicular adenoma, signet-ring cell subtype，多量の粘液貯留がみられる粘液産生型濾胞腺腫 follicular adenoma, mucinous subtype，脂肪組織が混在する脂肪腺腫 lipoadenoma が稀にみられる。

高度な核異型を呈する細胞が混在する濾胞腺腫が稀にあり，奇怪核を伴った濾胞腺腫 follicular adenoma with bizarre nuclei と呼ばれる（図 9）。濾胞癌よりも強い異型性を示すことが多いが，細胞分裂像や壊死はみられない。

甲状腺機能亢進症を伴うことがあり，中毒性腺腫 toxic adenoma あるいは機能亢進性腺腫 hyperfunctioning adenoma と呼ばれる。腫瘍細胞は高円柱状で，乳頭状増殖や吸収空胞がみられる。甲状腺刺激ホルモン受容体の遺伝子変異がみられることが多い。

b．膨大細胞腺腫　Oncocytic adenoma

腫瘍の大部分（75％以上）が細胞質に多量なミトコンドリアが存在する膨大細胞（好酸性細胞）で占められる腺腫である（図 10）。ミトコンドリア関連遺伝子の異常を伴う。Hürthle 細胞腺腫という名称は誤用で用いるべきではない。肉眼的に褐色調で，中央に瘢痕を有することがある。腫瘍細胞は顆粒状の豊富な好酸性細胞質を有し，クロマチンはしばしば過染色性である。ときに核小体が明瞭な，多形性の大型核を示す。好酸性細胞型乳頭癌とは，乳頭癌に特徴的な核がみられないことで鑑別される。

3．低リスク腫瘍　Low-risk neoplasms

悪性度が極めて低いと定義される被包化ないし境界明瞭な濾胞細胞由来腫瘍の一群である。

a．乳頭癌様核所見を伴う非浸潤性濾胞型腫瘍　Noninvasive follicular thyroid neoplasm with papillary-like nuclear features（NIFTP）

非浸潤性の濾胞型腫瘍で，核所見が乳頭癌に類似し，悪性度が極めて低い。線維性被膜を有する，もしくは境界明瞭な充実性腫瘍で，割面は淡褐色～褐色を呈する。濾胞状構造からなり，乳頭状構造はないか，あっても極めて少ない範囲（1％未満）にとどまる。被膜浸潤や血管浸潤はみられない。腫瘍細胞の核所見は乳頭癌に特徴的な 1）核形（腫大，伸長，重畳），2）核膜（不整，核の溝，核内細胞質封入体），3）クロマチン（淡明化，すりガラス状）の 3 項目のうち 2 項目以上を満し，乳頭癌の核スコアが 2～3 となることが必要である。

従来の被包化濾胞型乳頭癌の一部，濾胞腺腫の中で核スコア 2 となる腫瘍の一部が NIFTP に相当する。遺伝子検査もしくは免疫染色により *BRAF* p.V600E 変異が認められる場合は NIFTP から除外し被包化濾胞型乳頭癌とする。NIFTP の診断をする際に核スコア 2 の場合は，従来の濾胞腺腫に相当することを記載するか，診断名に濾胞腺腫を併記することが望ましい。

b．悪性度不明な腫瘍　Tumors of uncertain malignant potential（UMP）

被膜浸潤や血管浸潤が疑わしい高分化腫瘍で，濾胞構造を示し，悪性度が極めて低い。線維性被膜を有するもしくは境界明瞭な充実性腫瘍で以下の2つに区分される。悪性度不明な濾胞型腫瘍 Follicular tumor of uncertain malignant potential（FT-UMP）は浸潤が疑わしい高分化濾胞型腫瘍の中で，乳頭癌に類似する核所見を欠いた腫瘍。悪性度不明な高分化腫瘍 Well-differentiated tumor of uncertain malignant potential（WDT-UMP）は浸潤が疑わしい高分化濾胞型腫瘍の中で，乳頭癌に類似した核所見（核スコア2～3）を有する腫瘍。疑わしい被膜浸潤や疑わしい血管浸潤の模式図を図11，12に示す。疑わしい被膜浸潤とは腫瘍が被膜の深くまで浸潤し，被膜外縁の近くに及んでいるものである。疑わしい血管浸潤とは血管内に腫瘍胞

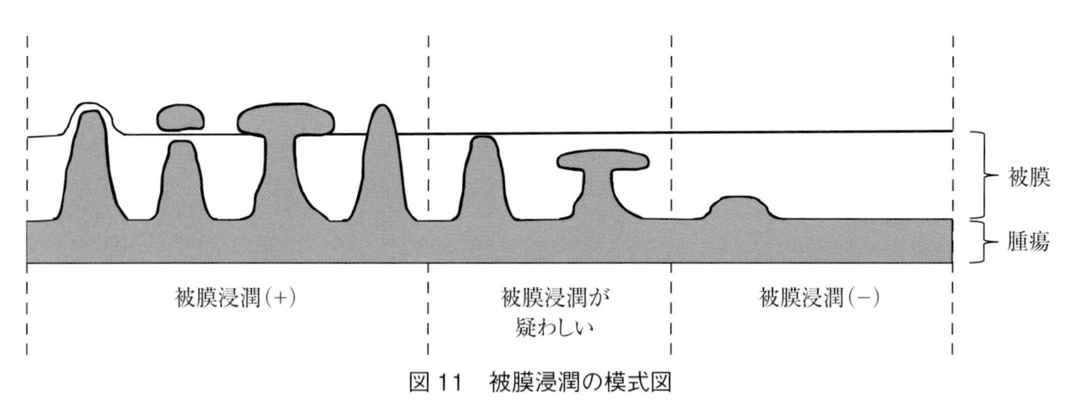

図11　被膜浸潤の模式図

腫瘍が被膜を貫通するものを被膜浸潤とし，腫瘍が被膜の深くまで突き出て，被膜外縁の近くに及んでいるいるものは疑わしい被膜浸潤とする。腫瘍が被膜の浅くにとどまる場合は被膜浸潤と判定しない。

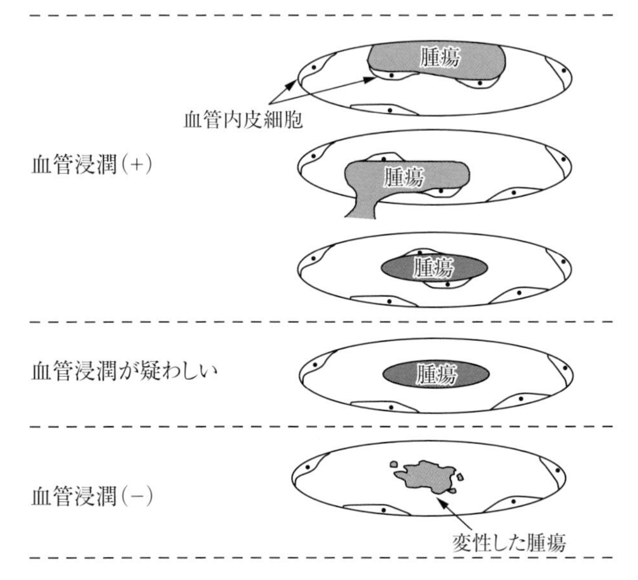

図12　血管浸潤の模式図

被膜内や被膜近傍の血管内に腫瘍が侵入する所見を血管浸潤とする。血管内の腫瘍表面には内皮細胞の被覆ないしは血栓の付着をみる。内皮細胞の被覆，血栓付着のないものは疑わしい血管浸潤とする。変性した腫瘍細胞が血管腔に浮いている場合は血管浸潤としない。

巣をみるが，腫瘍胞巣に血管内皮の被覆や血栓の付着がないものである。UMPと診断する際には十分な切出し，再切や深切標本による追加検索を行い浸潤の評価を行う。FT-UMPの診断をする際には，従来の濾胞腺腫に相当する旨を記載するか，診断名に濾胞腺腫を併記することが望ましい。

c．硝子化索状腫瘍 Hyalinizing trabecular tumor

腫瘍細胞の索状増殖と硝子化(基底膜物質の沈着)を特徴とする濾胞細胞由来の腫瘍である。遺伝子異常として *PAX8::GLIS1/GLIS3* 再構成がみられる。腫瘍は境界明瞭，充実性で，薄い被膜を有することもある。腫瘍細胞は多角形あるいは紡錘形で，明るく比較的豊富な細胞質を有し，核の溝や核内細胞質封入体が目立つ（図13)。細胞質内には明暈を伴った，黄色体 yellow body と呼ばれる淡染性滴状物が散見される。腫瘍細胞間にみられる硝子様間質はPAS反応陽性で，基底膜の不規則な塊状，樹枝状肥厚によるものである（図14)。

免疫染色では，乳頭癌で通常陽性となるサイトケラチン19が陰性となり，Ki-67（MIB-1）が細胞膜に異所性陽性局在を示す（図15)。硝子物はラミニンあるいはⅣ型コラーゲンに陽性である。硝子物はアミロイド物質に類似しているため，髄様癌との鑑別に注意が必要である。

4．悪性腫瘍 Malignant tumors

a．濾胞癌 Follicular carcinoma

濾胞状構造を基本とする濾胞細胞由来の悪性腫瘍である。乳頭癌に認められる特徴的な核所見はみられない（図16)。悪性基準は，腫瘍細胞の被膜浸潤（図17)，血管浸潤（図18)，あるいは甲状腺外への転移のいずれか少なくとも1つを組織学的に確認することであり，細胞の異型度は良性・悪性の区別に関与しない。濾胞癌の遺伝子異常は *RAS* の点突然変異が半数程度にみられ，*PAX8::PPARG* 再構成がこれに続く。

基本構築として濾胞状構造を示し，濾胞腺腫と同様に小型濾胞，正常サイズの濾胞，大型濾胞で構成される。充実性あるいは索状構造をとることもある。壊死がみられることはない。

被膜浸潤とは，被膜を完全に突き破って周囲の被膜の位置よりも突出している状態を意味する(被膜貫通)。被膜浸潤の定義については図11に示す。細胞診の穿刺部位に被膜浸潤様の構造がみられることがあるが，出血やヘモジデリン沈着，炎症細胞浸潤などにより鑑別が可能である。

血管浸潤の判定は，被膜内もしくは被膜近くの非腫瘍部の血管を観察して行う。内皮細胞で覆われている管腔のみを対象血管とし，その管腔内に存在する腫瘍細胞集塊に内皮細胞が付着している場合と血栓が付着している場合に血管浸潤と断定する（図12)。被膜の壁内に毛細血管，腫瘍細胞，リンパ球などが混在してみられる像は血管浸潤と断定しない。

甲状腺内の病巣が悪性と診断できない場合でも，転移の存在が組織学的に明らかにされれば，甲状腺内の病変部が原発腫瘍と認定される。従来，転移性甲状腺腫，悪性腺腫などと呼ばれていた異型の明らかでない腫瘍がこれに相当する。

腫瘍の50%以上が淡明な細胞質を有する腫瘍細胞より構成されるものは明細胞型濾胞癌 follicular carcinoma, clear cell subtype と呼ばれる（図 19）。明細胞化はミトコンドリアの風船化，脂肪あるいはグリコーゲンの蓄積，サイログロブリンの貯留などによる。組織学的に腎細胞癌の転移との鑑別が必要とされる。免疫染色で TTF1 や PAX8 が陽性を示すことが診断の有力な指標であり，サイログロブリンの染色性は弱い。

濾胞癌は浸潤様式から 3 つに分類される。

1）微少浸潤性濾胞癌　Follicular carcinoma, minimally invasive

濾胞性腫瘍に典型的な線維性の腫瘍被膜がよく保たれている癌で，肉眼的には浸潤部位を明示し難い。組織学的に被膜浸潤を見出すことで濾胞腺腫と鑑別される。血管浸潤は認められない。

2）被包化血管浸潤性濾胞癌　Follicular carcinoma, encapsulated angioinvasive

線維性被膜に囲まれ血管浸潤を認める癌で，被膜浸潤の有無は問わない。血管浸潤が広汎な例（4 カ所以上）は，限局的な例（3 カ所以下）に比べ予後が悪い。

3）広汎浸潤性濾胞癌　Follicular carcinoma, widely invasive

腫瘍周囲の甲状腺組織に広範囲な浸潤を示す濾胞癌で，線維性被膜が不明瞭な例も少なくない（図 20）。血管浸潤のみでは広汎浸潤性とはしないが，高度の血管浸潤をみる例は予後が悪い。

b．乳頭癌　Papillary carcinoma

腫瘍細胞の核所見によって特徴づけられる濾胞細胞由来の悪性腫瘍である。乳頭癌の基本構築は乳頭状構造であるが（図 21），種々の程度に濾胞状構造が混在し，濾胞状構造のみからなる場合もある。したがって，乳頭癌の組織診断は組織構築のみからは判断できず，細胞，とくに核所見を重視しなければならない。乳頭癌では *BRAF* 遺伝子点突然変異（*BRAF* p.V600E）が高率にみられ，次に *RET* 遺伝子の再構成（いわゆる RET/PTC 転座；*CCDC6::RET*, *NCOA4::RET* など）がみられる。*RAS* 遺伝子の点突然変異は稀である。

腫瘍細胞の核は大きく，不規則性輪郭を示し，核分裂像は目立たない。特徴的核所見は，核形（腫大，伸長，重畳），核膜（不整，核の溝，核内細胞質封入体），クロマチン（淡明化，すりガラス状）の 3 項目に分類され，2 項目以上を満たすことが必要である（核スコア 2～3）。とくに重畳核 overlapping nuclei，すりガラス状核 ground glass nucleus（図 21），核の溝 nuclear groove，核内細胞質封入体 intranuclear cytoplasmic pseudo-inclusion（図 22）がある。重畳核は核の重なりを意味する所見で，主として乳頭状構造部で認められる。すりガラス状核は核に微細顆粒状のクロマチンが均一に広がって明るくみえる所見を指す。核の溝は核の長軸方向にみられる。核内細胞質封入体は，細胞質の核内陥入によって生じるもので，一般的にその色調は細胞質に類似する。核内細胞質封入体は乳頭癌以外の腫瘍，たとえば髄様癌などでもみられることがある。腫瘍細胞の細胞質は弱好酸性から好酸性で，ときに扁平上皮化生 squamous metaplasia を示す（図 23）。

乳頭癌でみられる乳頭状構造は不規則に分岐し，内部に線維血管性間質 fibrovascular core を有するのが特徴で，浮腫を伴うことも多い。腺腫様甲状腺腫や濾胞腺腫などでみられる線維血管性間質を欠く乳頭状構造とは区別される。またリンパ管内や間質に砂粒体 psammoma body（同心円状の微小石灰化巣）がしばしば認められる（図 24）。硝子化，石灰沈着を伴った豊富な間質を形成することもある。ときに嚢胞形成を示し，その壁の一部のみに癌組織がみられることもある。

乳頭癌には一部に充実性，索状，島状構造を示す低分化成分が混在することがある。ただし，細胞多形性が強く結合性が乏しい未分化癌成分が一部にでも混在する場合は未分化癌に分類する。

亜型　Subtypes

1）濾胞型乳頭癌　Papillary carcinoma, follicular subtype

腫瘍細胞の核には乳頭癌の特徴的所見がみられるが，乳頭状構造を欠き，濾胞状構造のみからなる乳頭癌である（図 25）。濾胞型乳頭癌は，周囲に浸潤性に増殖し線維性被膜を欠くものと，全周性に線維性被膜で覆われるが一部に浸潤がみられるものに分けられる。NIFTP の基準は満たすものの，乳頭癌核スコア 3 の場合や *BRAF* p.V600E 変異が確認された場合は被包化濾胞型乳頭癌とする。

2）大濾胞型乳頭癌　Papillary carcinoma, macrofollicular subtype

コロイドの充満した大型濾胞からなる乳頭癌で，腫瘍細胞の核には明らかな乳頭癌の特徴を有する（図 26）。濾胞腺腫や腺腫様甲状腺腫との鑑別が必要である。

3）好酸性細胞型乳頭癌　Papillary carcinoma, oxyphilic cell subtype

大部分の腫瘍細胞の細胞質が好酸性顆粒状で，核の溝，核内細胞質封入体などの乳頭癌の核所見を認め，通常は核小体が目立つ（図 27）。細胞像，遺伝子異常により，膨大細胞癌 oncocytic carcinoma からは区別される。

4）びまん性硬化型乳頭癌　Papillary carcinoma, diffuse sclerosing subtype

病巣が片葉全体ないしは両葉にびまん性に存在し，腫瘤が不明瞭なこともある。若年者に多い。主として拡張したリンパ管内に腫瘍塞栓が広範に認められ，間質には線維増生とともに多数のリンパ球浸潤を伴うことが特徴である（図 28 上）。腫瘍細胞はしばしば扁平上皮化生を示し，多数の砂粒体を認める（図 28 下）。*RET* 遺伝子の再構成を認めるものが多い。

5）高細胞型乳頭癌　Papillary carcinoma, tall cell subtype

高年齢者に発生する傾向があり，甲状腺外進展や血管浸潤所見をみることが多い。本腫瘍の特徴は，背の高い，縦長の腫瘍細胞から構成されることである。具体的には腫瘍細胞の高さが幅の 3 倍以上を示す細胞を“高細胞”とみなす（図 29）。通常の乳頭癌でも，“高細胞”は稀ならずみられるため，診断には腫瘍組織の 30%以上の細胞が“高細胞”からなることが必要である。

6）円柱細胞型乳頭癌　Papillary carcinoma, columnar cell subtype

高円柱細胞が核の偽重層化を伴って乳頭状，索状，濾胞状，腺腔状に配列し，また充実性構造部も認められる（図 30）。濾胞および腺腔の内部にはコロイド物質を欠く。腫瘍細胞は円形から長円形のクロマチンに富む核を有し，ところにより分泌期の子宮内膜腺上皮細胞のように核上ないし核下空胞が認められる。免疫染色では腫瘍細胞は，TTF1，PAX8 が陽性であることを確認する必要がある。

7）充実型乳頭癌　Papillary carcinoma, solid subtype

充実性ないし索状構造が優位（50％以上）を占める腫瘍で，核には乳頭癌の特徴的所見を認める（図 31）。放射線曝露により発生した小児例では，*RET* 遺伝子の再構成（*NCOA4::RET*）が高頻度に認められる。

8）ホブネイル型乳頭癌　Papillary carcinoma, hobnail subtype

組織学的に乳頭状構造からなり，腫瘍細胞の核が細胞の遊離面近くに突出する像（ホブネイル所見）を認める（図 32）。再発，転移が高率で，通常型に比較して予後不良である。

9）その他の亜型　Other subtypes

明細胞型乳頭癌 papillary carcinoma，clear cell subtype，ワルチン腫瘍様乳頭癌 Warthin tumor-like papillary carcinoma，線維腫症様の間質を伴う乳頭癌 papillary carcinoma with fibromatosis-like stroma などがある。

c．膨大細胞癌　Oncocytic carcinoma

腫瘍の大部分（75％以上）が好酸性顆粒状の細胞質を有する腫瘍細胞より構成される濾胞癌である（図 33）。肉眼的にマホガニー色（赤褐色）を呈することが特徴で，出血，嚢胞形成，線維化，梗塞などをみることがある。充実性，索状，乳頭状構造を示すことがあるが，乳頭癌の核所見を示さない。良性の膨大細胞腺腫と同様にミトコンドリア遺伝子の異常を伴う。被膜浸潤，血管浸潤，転移のいずれかが組織学的に確認されたもののみを悪性の膨大細胞癌とする。膨大細胞腺腫同様にミトコンドリア関連遺伝子の異常を伴うが，*RAS* 系腫瘍や *BRAF* 系腫瘍の一般的な遺伝子変異はみられない。

d．低分化癌　Poorly differentiated carcinoma

高分化癌（乳頭癌ないし濾胞癌）と未分化癌との中間的な形態像および生物学的態度を示す濾胞細胞由来の悪性腫瘍をいう。高分化癌に比べると遠隔転移の頻度が高く，予後も不良である。

肉眼的に浸潤性増殖が明らかな場合が多く，線維性被膜を伴うことがある。低分化癌の診断には濾胞癌と同じく被膜浸潤や血管浸潤あるいは甲状腺外への転移の存在が必要である。充実性 solid（図 34），索状 trabecular（図 35），島状 insular（図 36）の増殖パターン（STI パターン）を低分化成分 poorly differentiated component と呼び，腫瘍の 50％以上を占める。乳頭癌に典型的な核所見はみられない。核分裂像が散見され，腫瘍の凝固壊死をしばしば伴う（図 37）。分化癌に比べると細胞異型がより高度で核分裂像も多い（3 個/2 mm^2以上）が，未分化癌ほどではない。腫瘍壊死やねじれ核 convoluted nucleus がみられることが多い。

高分化癌成分が低分化癌成分よりも優勢である場合は低分化癌に分類せず，高分化癌を主診断として低分化成分の存在を付記する。低分化癌の一部に未分化癌を伴うものは未分化癌とする。

付）高異型度分化癌　High-grade differentiated carcinoma

高分化型の乳頭癌と濾胞癌の増殖パターンを呈し，分裂像が 5 個/2 mm^2以上または腫瘍壊死を認め，未分化癌成分を含まない場合，高異型度分化癌に分類する。低分化癌とともに高異型度甲状腺癌に相当し，放射性ヨード治療抵抗性で予後不良である。

e．未分化癌　Anaplastic carcinoma

高度な構造異型，細胞異型を示す上皮性悪性腫瘍である。*RAS* や *BRAF* など早期の遺伝子変異に加えて，*TERT* プロモーター，*TP53*，*PIK3CA*，*PTEN* などの後期の遺伝子変異がみられる。

腫瘍は急速な増殖を示し，しばしば壊死や出血を伴う。腫瘍細胞は高分化癌（乳頭癌ないし濾胞癌）や低分化癌に比べると高度な異型性がみられる。腫瘍細胞は多形性（図 38），紡錘形（図 39），扁平上皮様（図 40），巨細胞など多彩な形態を示し，これらはしばしば混じり合う。腫瘍の一部あるいはほとんどすべてが扁平上皮への分化を示す場合は通常の未分化癌と同様に予後不良であることから甲状腺原発の扁平上皮癌は未分化癌に分類する。

未分化癌の一部に高分化癌や低分化癌が認められる例が多く，未分化癌の先行病変と考えられる（未分化転化 anaplastic transformation）。高分化癌，低分化癌が混在，ないし併存している場合も未分化癌として分類する。

未分化癌は稀に骨・軟骨肉腫成分を含むことがあり，他臓器で癌肉腫 carcinosarcoma とされる場合も未分化癌に分類する。免疫染色ではサイトケラチン陽性細胞が含まれることが多い。濾胞細胞のマーカーではサイログロブリンと TTF1 は通常陰性であるが，PAX8 が半数例程度に陽性となる。P53 は陽性となることが多い。

f．髄様癌　Medullary carcinoma

C 細胞への分化を示し，カルシトニン calcitonin 分泌を特色とする上皮性悪性腫瘍である。間質にはアミロイド沈着を認め，同部に石灰化をみる例が多い（図 41，42）。

髄様癌は，組織学的所見と細胞学的所見が多様であることも特色とされる。組織構築は通常は充実性 solid を示す（図 43）。濾胞状，乳頭状あるいは索状などを示す例では，濾胞細胞由来の癌との鑑別が必要な場合がある（図 44）。細胞の形状は，多角形，類円形，紡錘形など様々な形態を示し，小細胞や巨細胞などからなるものもある（図 45）。細胞増殖活性が高く（分裂像≧5 個/2 mm^2，Ki-67≧5%），腫瘍壊死がみられるものは予後が悪く，高異型度髄様癌と呼ばれる（図 46）。C 細胞への分化は，カルシトニンの免疫染色によって確認できる。CEA，シナプトフィジン，クロモグラニン A も陽性を示す。

髄様癌には遺伝的背景をもつものがあり，*RET* 遺伝子の機能獲得性点突然変異がみられる。常染色体顕性の遺伝形式を示す例の多くは，副腎髄質や副甲状腺に腫瘍の合併を伴う多発性内分泌腺腫瘍症 multiple endocrine neoplasia（MEN）の 2A 型，2B 型またはそれらの合併病変のない家族性髄様癌 familial medullary carcinoma である。散発性髄様癌は通常単発であるが，遺伝性髄様癌ではしばしば多発する。また，C 細胞過形成 C-cell hyperplasia は遺伝的背景のある髄様癌の非腫瘍部甲状腺にみられることが多い。

g．混合性髄様癌・濾胞細胞癌　Mixed medullary and follicular cell carcinoma

甲状腺上皮性悪性腫瘍であり，同一腫瘍内にC細胞への分化と濾胞細胞への分化を示す腫瘍成分が共存する（図47）。濾胞細胞への分化を示す腫瘍の組織型は，乳頭癌，濾胞癌のいずれの場合もある。原発巣においては腫瘍内に残存する正常濾胞細胞との鑑別に注意を要する。

h．リンパ腫　Lymphoma

中高齢女性に多く，ほとんどが橋本病を発生母地とする。割面は灰白色調で，限局するものと両側に及ぶものがある。

ほとんどがB細胞性で粘膜関連リンパ組織型節外性辺縁帯リンパ腫（MALTリンパ腫）extranodal marginal zone lymphoma of mucosa-associated lymphoid tissue（MALT lymphoma）とびまん性大細胞型B細胞リンパ腫 diffuse large B-cell lymphoma（DLBCL）である。甲状腺の形質細胞腫とされていた症例の大部分は，極端に形質細胞に分化したMALTリンパ腫と考えられている。

MALTリンパ腫は，胚中心細胞類似細胞 centrocyte-like cellや単球様B細胞 monocytoid B-cellなどを主体に小リンパ球，形質細胞，免疫芽球などの多様なBリンパ系細胞が混在し，びまん性ないし不明瞭な結節状増生を示す（図48）。リンパ腫細胞は反応性リンパ濾胞の外側を増殖の場とし，リンパ濾胞内への浸潤（follicular colonization）（図49），濾胞細胞内（リンパ上皮性病変 lymphoepithelial lesion），濾胞腔内への腫瘍性リンパ球の充填［packing（MALT ball）］を特徴的とする（図50）。MALTリンパ腫は生物学的には低悪性度である。免疫グロブリン重鎖可変領域再構成，Gバンド，フローサイトメトリーなどが補助診断として有用である。

DLBCLは，胚中心芽球あるいは免疫芽球に類似した大型腫瘍細胞のびまん性増生よりなる（図51）。破壊性増生が強く，しばしば壊死や周囲組織への浸潤を認める。MALTリンパ腫の混在はMALTリンパ腫からの移行を示唆する。生物学的に高悪性度である。

5．その他の腫瘍　Other tumors

a．篩状モルラ癌　Cribriform morular carcinoma

組織発生不明の甲状腺腫瘍で，本腫瘍は散発性とともに家族性発生が報告されている。*APC*遺伝子の変異などによるWNT/βカテニン経路の恒常活性化により生じる。家族性例では家族性大腸ポリポーシス（FAP）の一部分症として認められ，多中心性に発生する。若い女性に多い。境界明瞭ないし被包化された病変が多く，組織学的には濾胞状構造ないしは篩状構造を示し，腔内にはコロイドを欠く（図52）。乳頭状構造や索状構造を混じえることも多い。腫瘍細胞は円柱状から立方状で，核はやや大型で核の溝をもち，しばしば淡明な核 nuclear clearingがみられる。また紡錘形の腫瘍細胞も稀ならず認められる。扁平上皮様のモルラ morula（桑実状細胞巣）が散在性に認められる（図53）。免疫染色ではβカテニンが腫瘍細胞の核に陽性となる（図53挿入図）。また，腫瘍細胞はTTF1，エストロゲン受容体，プロゲステロン受容体が陽性で，サイログロブリン，PAX8が通常は陰性である。モルラはCD5が陽性となる。

b．粘表皮癌　Mucoepidermoid carcinoma

唾液腺由来の粘表皮癌と類似した組織像を示す癌である。扁平上皮成分と粘液を含有する細胞が混在する。粘液や角化物をいれた囊胞形成もみられる。乳頭癌成分が混在してみられることもある（図 54）。唾液腺由来の粘表皮癌と同様に，*MAML2* 遺伝子の転座が検出されることがある。免疫染色では腫瘍細胞はサイトケラチンおよび p63 陽性である。

c．好酸球増多を伴う硬化性粘表皮癌　Sclerosing mucoepidermoid carcinoma with eosinophilia

粘表皮癌の亜型とされていたが，遺伝子変異の相違などから，WHO 分類第 5 版では“組織発生不明の甲状腺腫瘍”に分類された。好酸球増多を伴う硬化性粘表皮癌は女性に多く，好酸球，リンパ球，形質細胞浸潤を伴い，顕著な線維化を示す（図 55）。核小体の目立つ細胞が索状配列を示し，浸潤性に増殖する。免疫染色では，扁平上皮様腫瘍細胞はサイトケラチンや p63 が陽性となる。サイログロブリンや PAX8 はほぼ陰性となる。通常，背景には橋本病がみられる。

d．胸腺様分化を伴う紡錘形細胞腫瘍　Spindle epithelial tumor with thymus-like differentiation（SETTLE）

若年者に多い悪性腫瘍であり，分葉状の外観を呈する。組織学的には二相性を示し，紡錘形細胞が束状に配列する成分と，立方状から円柱状細胞が腺管をつくる成分よりなる（図 56）。免疫染色では両成分ともサイトケラチン（とくに CK7 など）陽性，サイログロブリン陰性である。稀に扁平上皮への分化を伴う。滑膜肉腫との鑑別には，*SS18* 遺伝子の転座がないことが参考となる。

e．甲状腺内胸腺癌　Intrathyroid thymic carcinoma（ITC）

胸腺上皮性腫瘍に類似した悪性腫瘍であり，多くは甲状腺下極に発生する。胸腺様分化を示す癌 carcinoma showing thymus-like differentiation（CASTLE），甲状腺内胸腺腫 intrathyroidal epithelial thymoma（ITET）とも呼ばれる。組織学的には腫瘍細胞は島状構造を示し，間質は緻密な線維結合織よりなる。腫瘍全体にリンパ球，形質細胞浸潤が観察される（図 57）。核小体の目立つ大型の核を有する多角形あるいは紡錘形細胞より構成されるが，細胞境界は不明瞭である。扁平上皮への分化傾向もしばしば認められる（図 58）。免疫染色では CD5 が腫瘍細胞に陽性となる（図 58 挿入図）。腫瘍細胞は c-kit/CD117，p63，p40 が陽性である。TTF1，サイログロブリンは陰性である。

f．甲状腺芽腫　Thyroblastoma

甲状腺の高悪性度の胎児性腫瘍で，*DICER1* 遺伝子の体細胞変異によって生じると考えられる。組織学的に腫瘍は胎児の甲状腺濾胞を模倣する不規則な濾胞状・充実性細胞巣と周囲の小類円形細胞の増殖からなり，種々の間葉系組織への分化を伴う（図 59）。腫瘍細胞の細胞分裂像が目立ち，壊死を認める。半数の症例で間葉の分化として軟骨形成を認める（図 60）。免疫染色では濾胞様腫瘍細胞に TTF1，PAX8，サイログロブリンが陽性である。また，腫瘍細胞は SALL4 陽性であるが，OCT3/4 や PLAP は陰性である。間質の細胞は，desmin，myogenin

などが陽性になることが多い。

g．肉腫　Sarcomas

平滑筋肉腫 leiomyosarcoma（図 61），血管肉腫 angiosarcoma，線維肉腫 fibrosarcoma，骨肉腫 osteosarcoma などがある。肉腫様にみえる未分化癌との鑑別に注意を要する。他臓器において癌肉腫 carcinosarcoma とされるものは甲状腺では未分化癌とする。

h．その他　Others

上記腫瘍のほかに，唾液腺型分泌癌 secretory carcinoma of salivary gland type，奇形腫 teratoma，異所性胸腺腫 ectopic thymoma，平滑筋腫瘍 smooth muscle tumor，末梢神経鞘腫瘍 peripheral nerve sheath tumor，傍神経節腫 paraganglioma，孤立性線維性腫瘍 solitary fibrous tumor，濾胞樹状細胞腫瘍 follicular dendritic cell tumor，ランゲルハンス細胞組織球症 Langerhans cell histiocytosis などが甲状腺内に発生することがあるが，いずれも稀である。

i．続発性（転移性）腫瘍　Secondary（metastatic）tumors

他臓器原発の悪性腫瘍が甲状腺に浸潤または転移したもので，鑑別診断上必要である。甲状腺周辺臓器由来の癌の直接浸潤のほか，腎癌，肺癌，乳癌など遠隔臓器の癌の転移もある（図 62）。甲状腺原発腫瘍との鑑別にはサイログロブリンやカルシトニンの免疫染色が有用である。

6．その他の甲状腺疾患　Other thyroid diseases

a．囊胞　Cyst

甲状腺の真性囊胞は比較的稀である。甲状舌管の遺残組織から生じる甲状舌管囊胞 thyroglossal duct cyst は，内面が円柱上皮，線毛円柱上皮，あるいは重層扁平上皮で覆われ（図 63），正中部に存在する。リンパ上皮囊胞 lymphoepithelial cyst は，内腔面が扁平上皮で覆われ，周囲にリンパ球浸潤を伴う（図 64）。背景に橋本病がみられることが多い。

続発性囊胞は，腺腫様結節や腺腫などに変性，壊死あるいは出血に伴い生じる偽囊胞である。

D．組織診断用のチェックリスト

1．肉眼所見 [p8 参照]

【占居部位】 □ 右葉 □ 左葉 □ 峡部(錘体葉を含む)
□ 上 □ 中 □ 下

【大きさ(最大径)】 □ ＿＿＿＿＿＿ mm

【腫瘤の割面】 □ 限局性 (□ 充実性 □ 嚢胞性) □ 浸潤性

【多発の有無】 □ 有 □ 無 □ 不明

2．組織学的所見 [p14, 15 参照]

【pT 分類】 □ pTX □ pT0 □ pT1a □ pT1b □ pT2
□ pT3a □ pT3b □ pT4a □ pT4b

【pN 分類】 □ pNX □ pN0 □ pN1a-1 □ pN1a-2 □ pN1a-3
□ pN1b-1 □ pN1b-2
節外浸潤 □ なし □ あり

【血管浸潤(濾胞癌)】 □ なし □ あり(□ 3 カ所以下 □ 4 カ所以上) □不明

【甲状腺外進展】 □ 不明 □ なし
□ あり(□ 甲状腺周囲脂肪組織 □ 副甲状腺
□ 前頸筋群 □ 皮下 □ 喉頭
□ 気管 □ 食道 □ 反回神経
□ 椎骨前筋群 □ 大血管 □ 頸動脈)

3．組織診断 [p22 参照]

【組織学的分類】 □ ＿＿＿＿＿＿＿＿＿＿＿＿＿＿

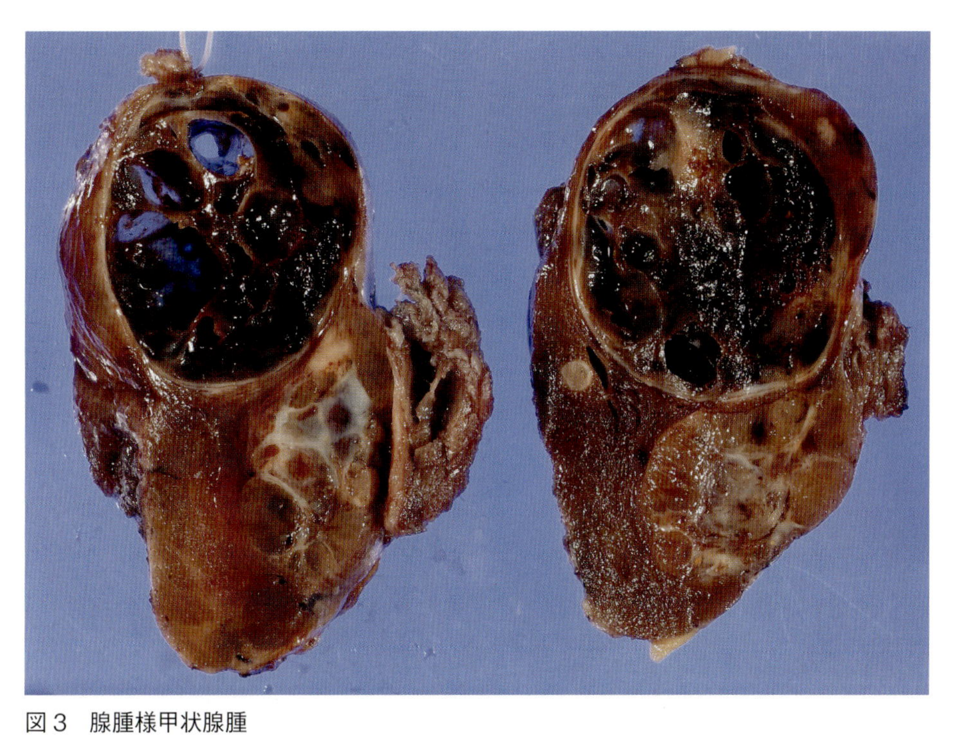

図３　腺腫様甲状腺腫

大小多数の結節を認める。

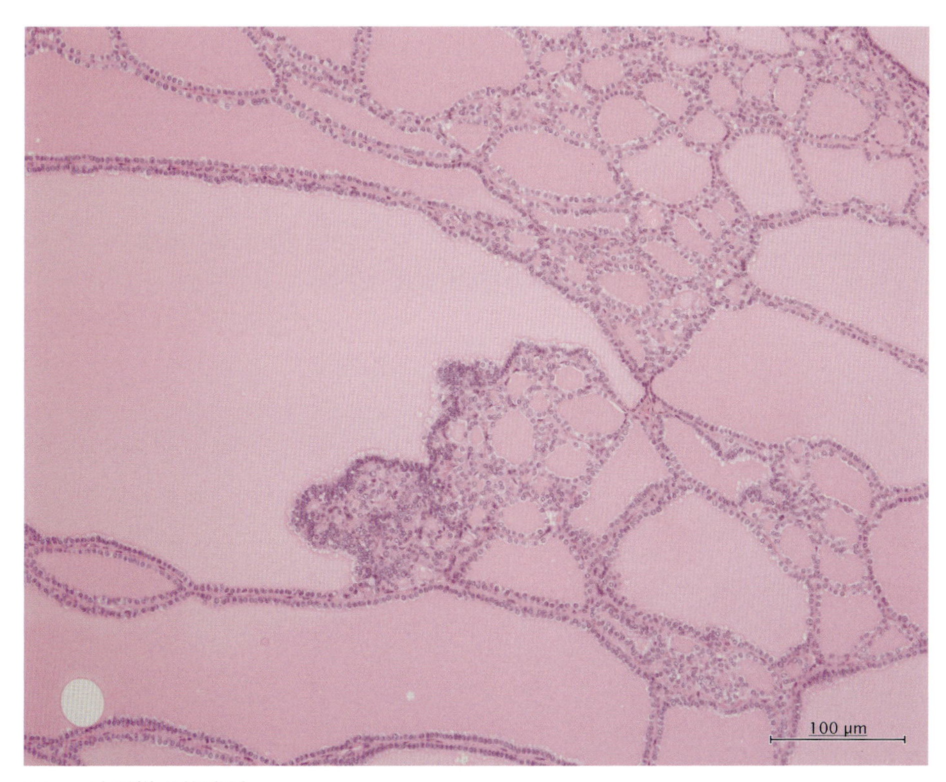

図４　腺腫様甲状腺腫

コロイドを含む大小の濾胞状構造を認める。

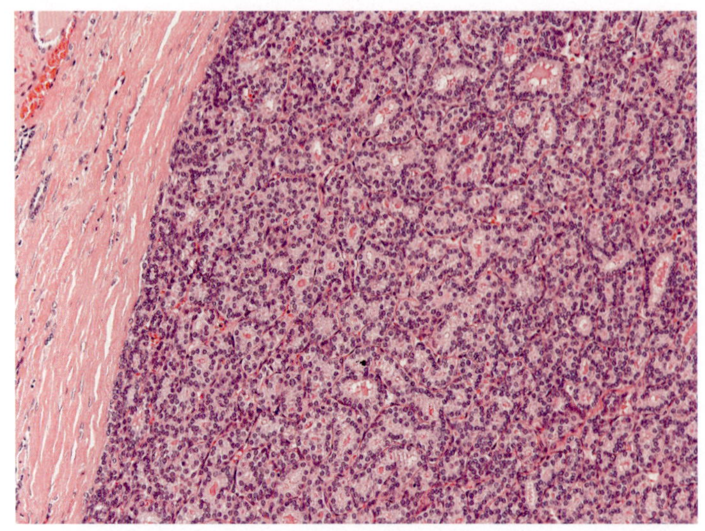

図５　濾胞腺腫

厚い線維性被膜に囲まれ，浸潤所見はない。

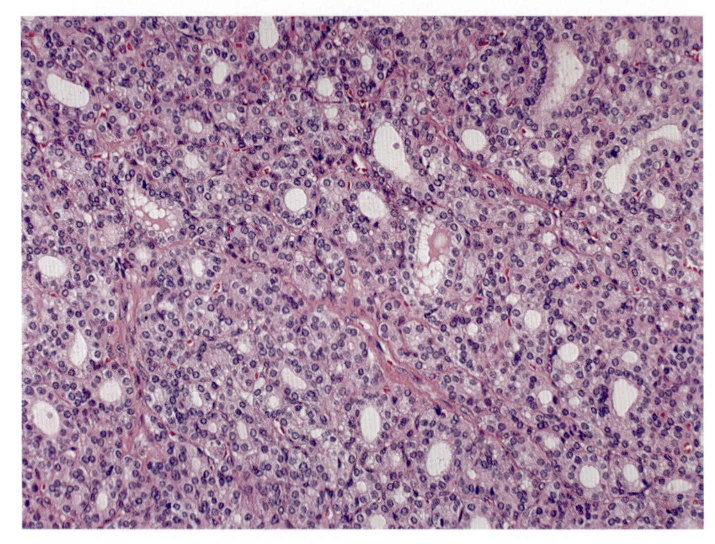

図６　濾胞腺腫

小型の濾胞状構造からなる。

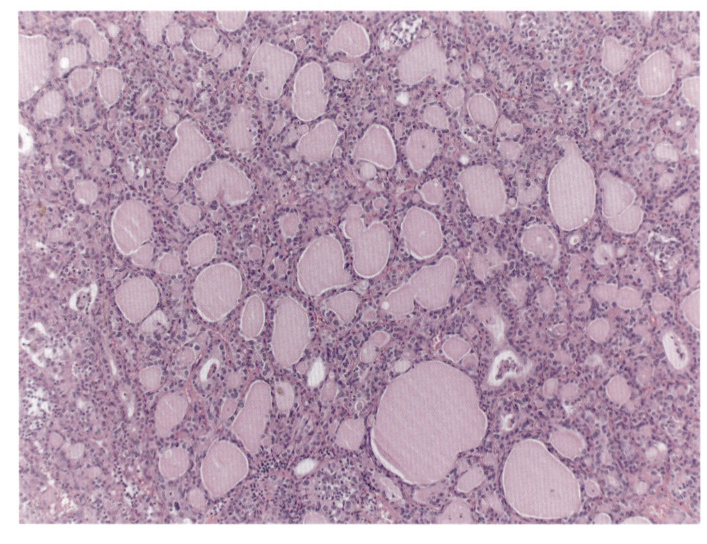

図７　濾胞腺腫

大小の濾胞状構造からなる。

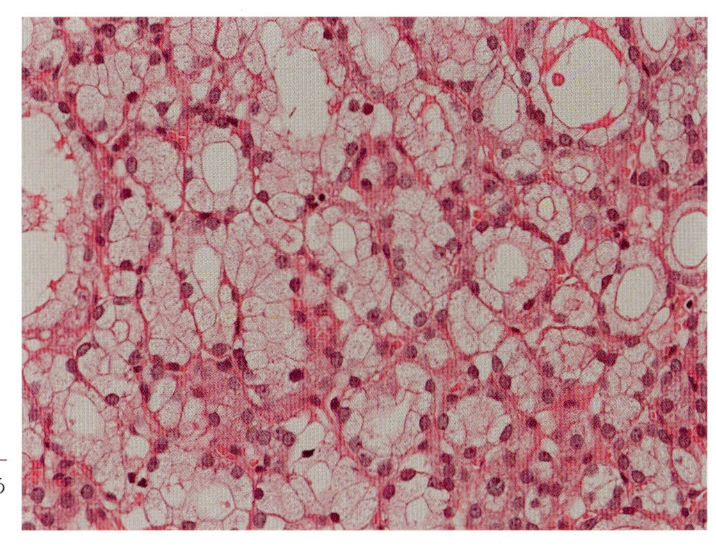

図８　明細胞型濾胞腺腫

腫瘍細胞の細胞質は淡明である。

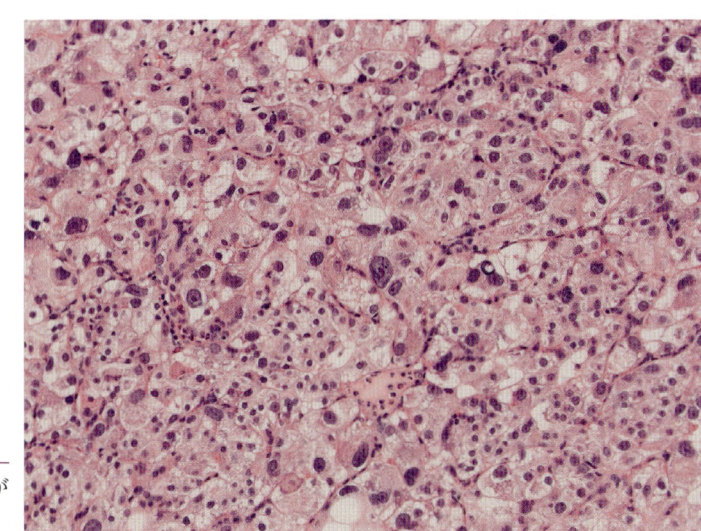

図９　奇怪核を伴った濾胞腺腫

腫瘍細胞には大型奇怪な核が目立つ。

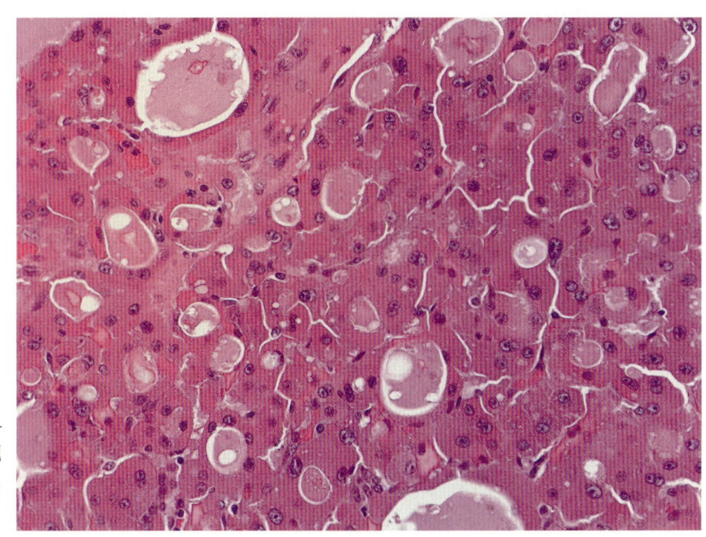

図 10　膨大細胞腺腫

腫瘍細胞は好酸性顆粒状の細胞質を示し，核は大型の核小体をもつ。

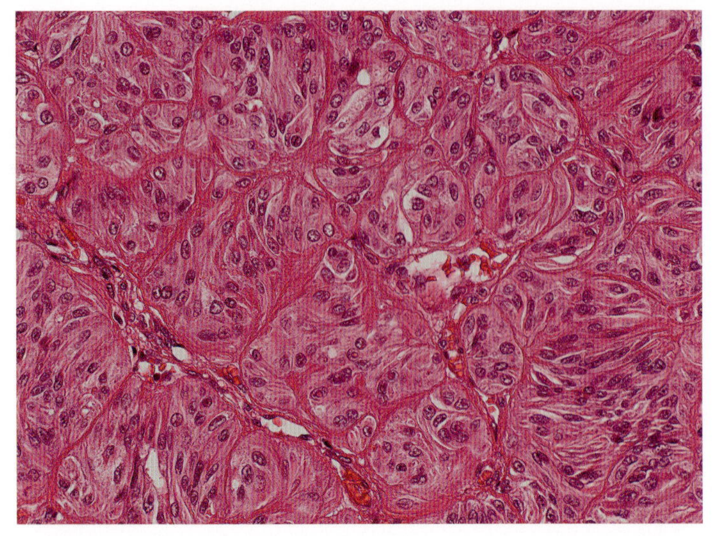

図 13　硝子化索状腫瘍

腫瘍細胞に核内細胞質封入体が目立ち，細胞間に赤色物質の集積を認める。

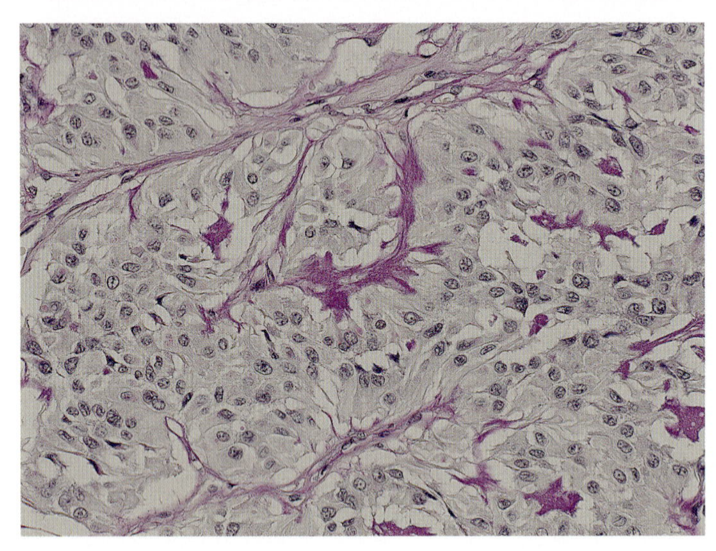

図 14　硝子化索状腫瘍

基底膜の樹枝状肥厚がPAS反応で陽性を示す。

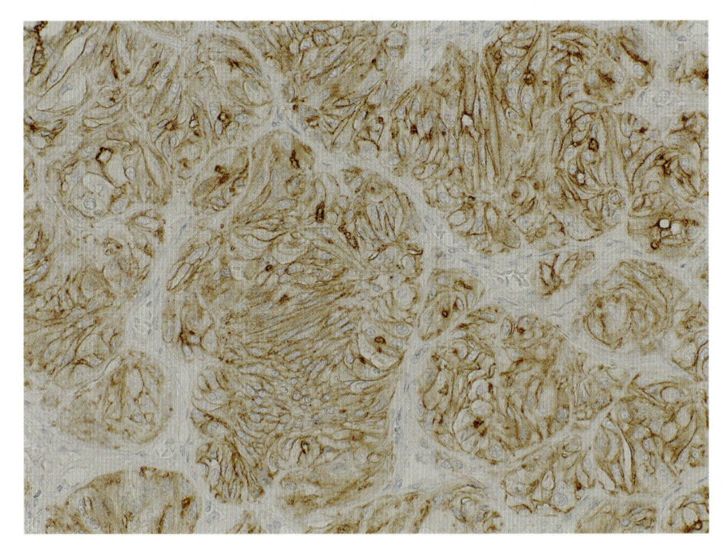

図 15　硝子化索状腫瘍

Ki-67（MIB-1）免疫染色で細胞質および細胞膜に陽性所見を示す。

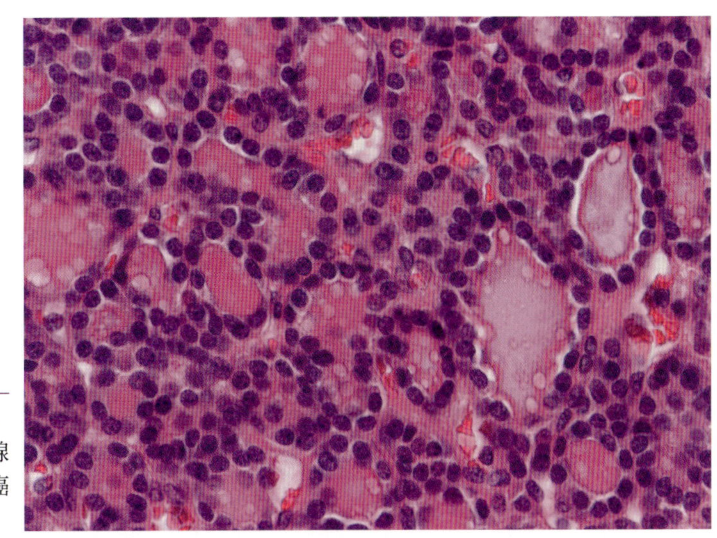

図 16　濾胞癌

濾胞状構造からなる腫瘍で，腫瘍細胞の核のみでは濾胞腺腫と区別できず，また乳頭癌の特徴を欠く。

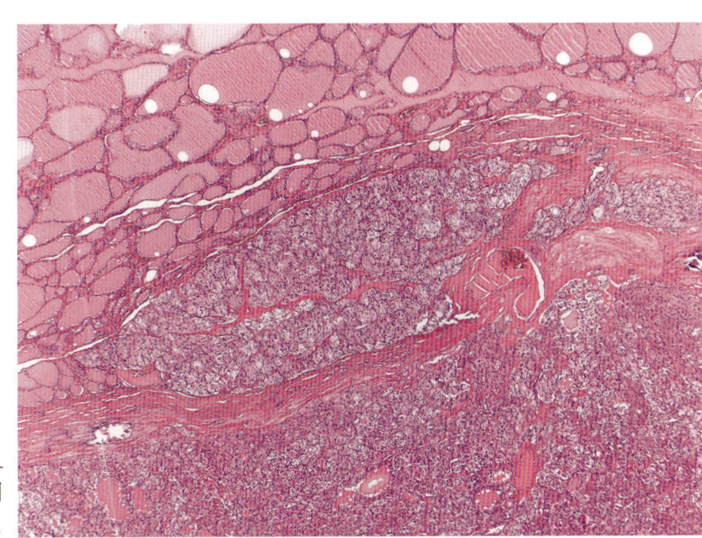

図 17　濾胞癌（被膜浸潤像）

腫瘍組織は被膜を貫通し，周囲甲状腺組織に浸潤している。

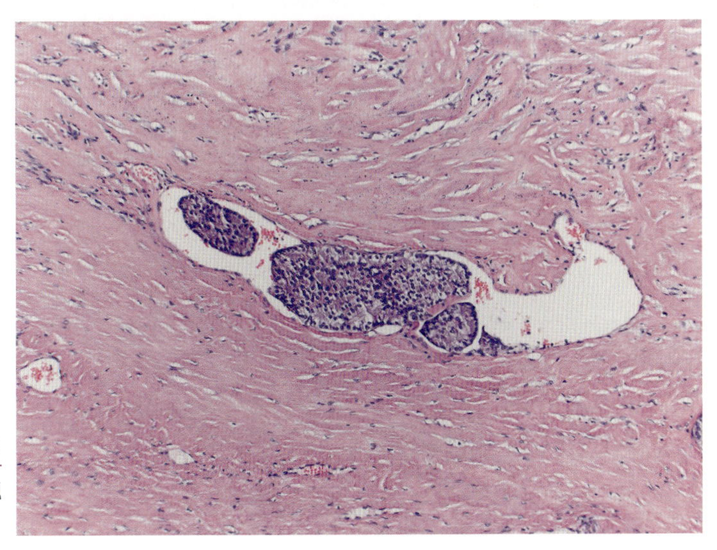

図 18　濾胞癌（血管浸潤像）

被膜内血管内に癌細胞の集塊を認める。

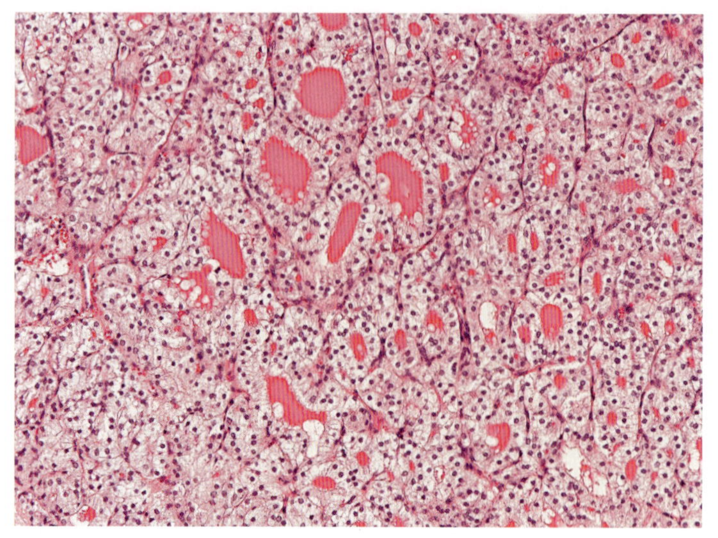

図 19　明細胞型濾胞癌

淡明細胞型腎細胞癌に類似した組織所見を示す。

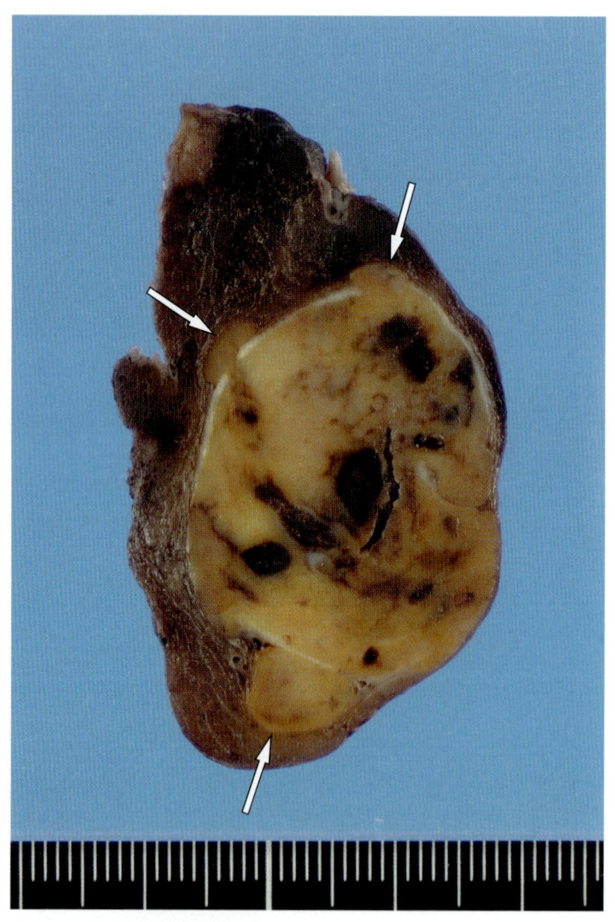

図 20　広汎浸潤性濾胞癌

被膜外に増殖する腫瘍組織を示す（矢印）。

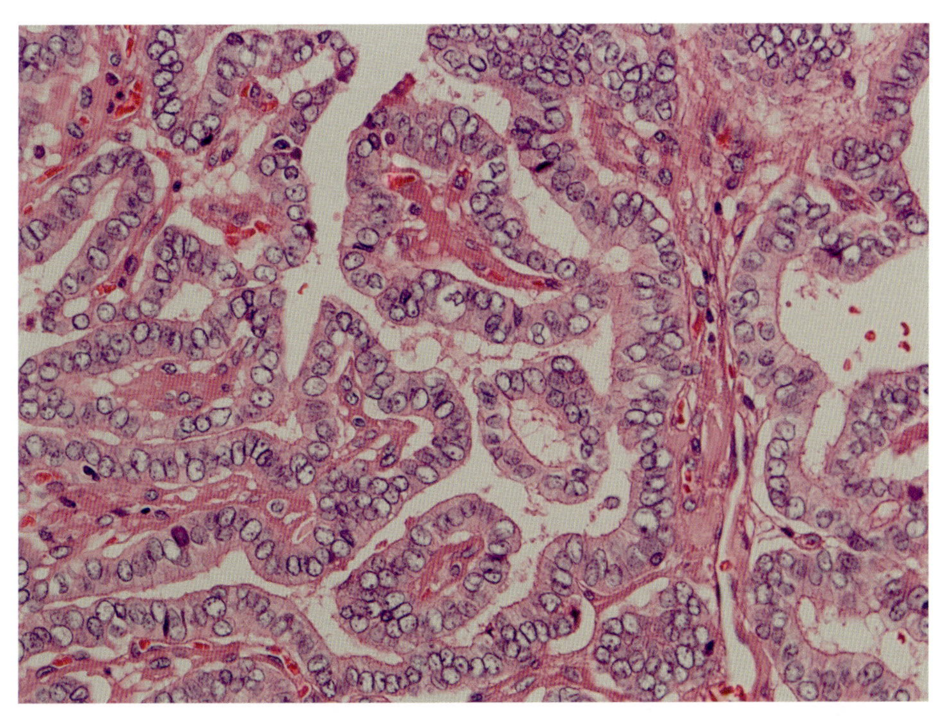

図21　乳頭癌（すりガラス状核）

不規則に分岐する乳頭状構造は線維血管性間質を伴う。腫瘍細胞の核膜は肥厚し，内部は明るい。

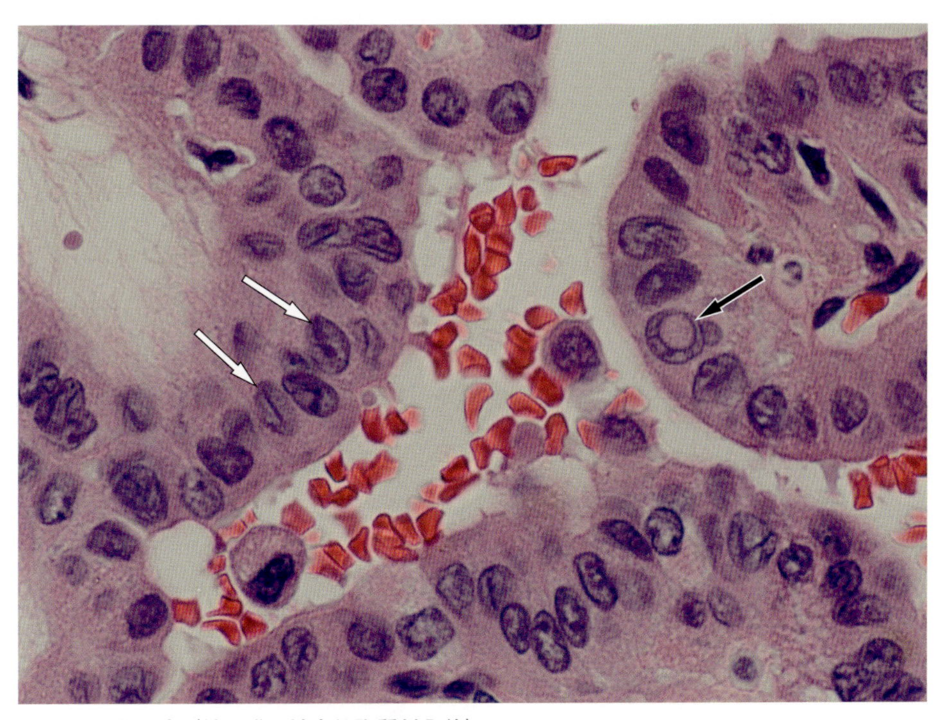

図22　乳頭癌（核の溝，核内細胞質封入体）

腫瘍細胞の核には核の溝（白矢印）や核内細胞質封入体（黒矢印）が認められる。

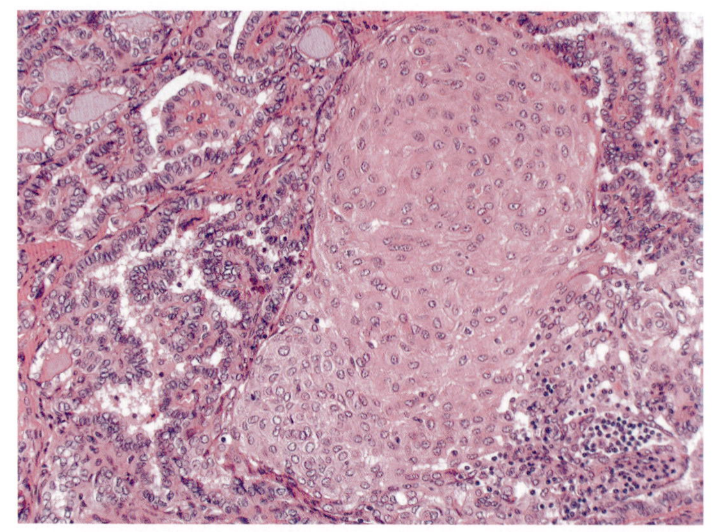

図 23　乳頭癌
（扁平上皮化生）

腫瘍組織の一部に扁平上皮化生巣が認められる。

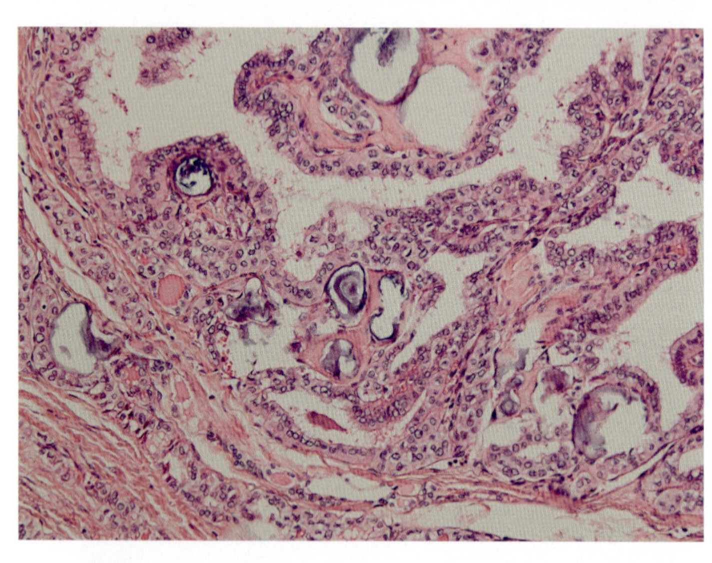

図 24　乳頭癌（砂粒体）

間質に同心円状の微小石灰化巣（砂粒体）が認められる。

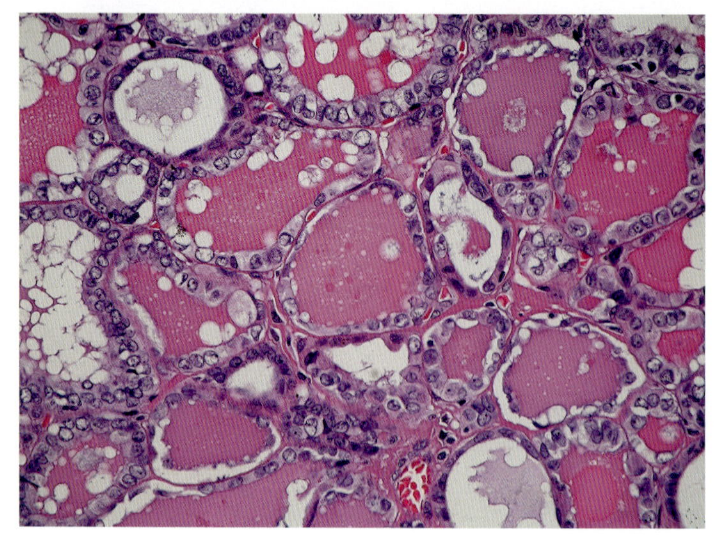

図 25　濾胞型乳頭癌

腫瘍組織は濾胞状構造のみからなるが，核には乳頭癌の特徴が認められる。

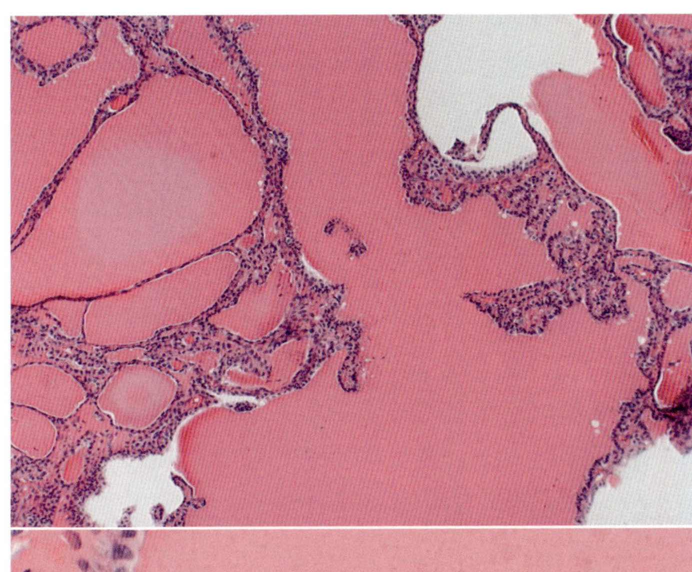

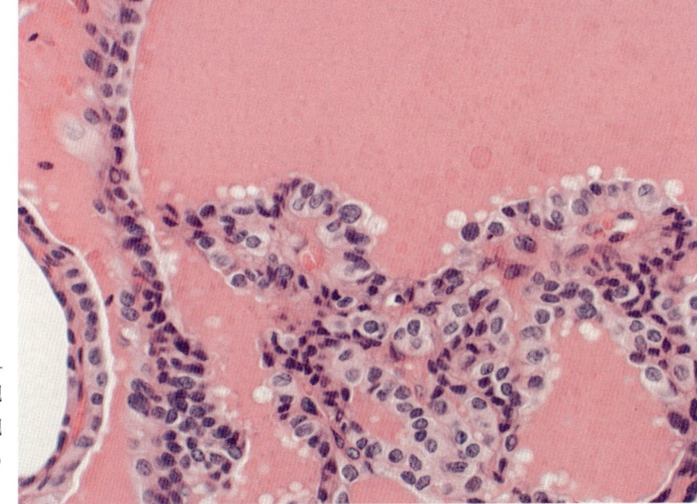

図 26　大濾胞型乳頭癌

コロイドが充満した大型濾胞からなり（上図），腫瘍細胞の核には乳頭癌の特徴が認められる（下図）。

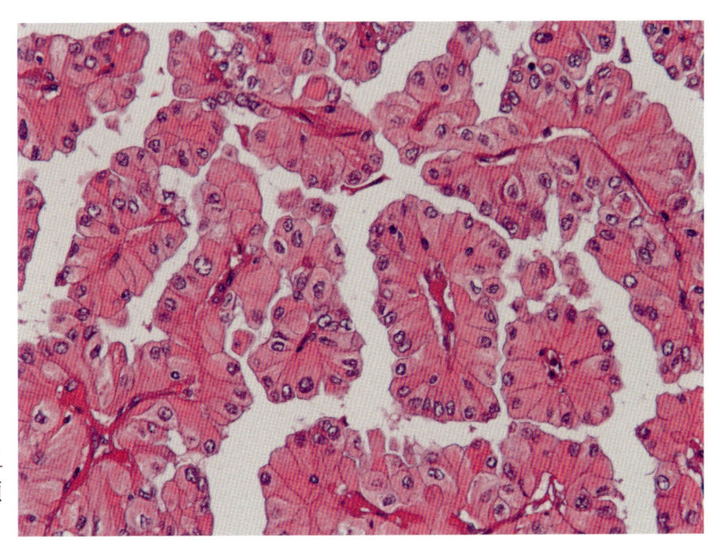

図 27　好酸性細胞型乳頭癌

腫瘍細胞の細胞質は好酸性顆粒状である。

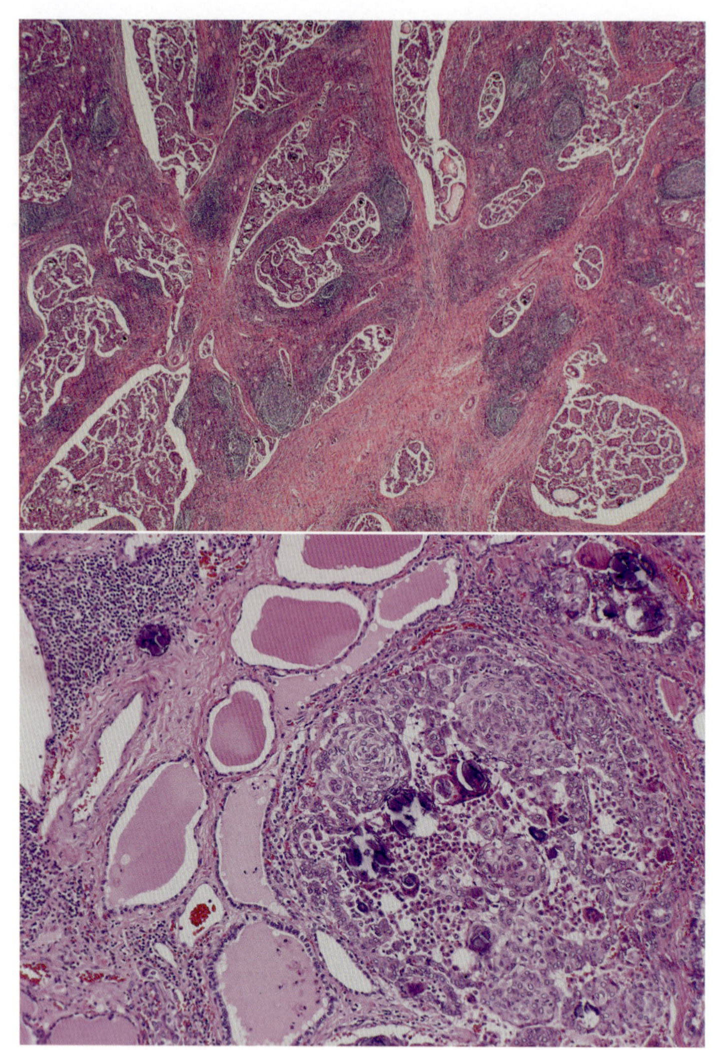

図 28　びまん性硬化型乳頭癌

リンパ管内に腫瘍塞栓が広範に認められ，間質には線維増生とリンパ球浸潤が著しい(上図)。腫瘍細胞には扁平上皮化生が目立ち，砂粒体が多数出現している（下図)。

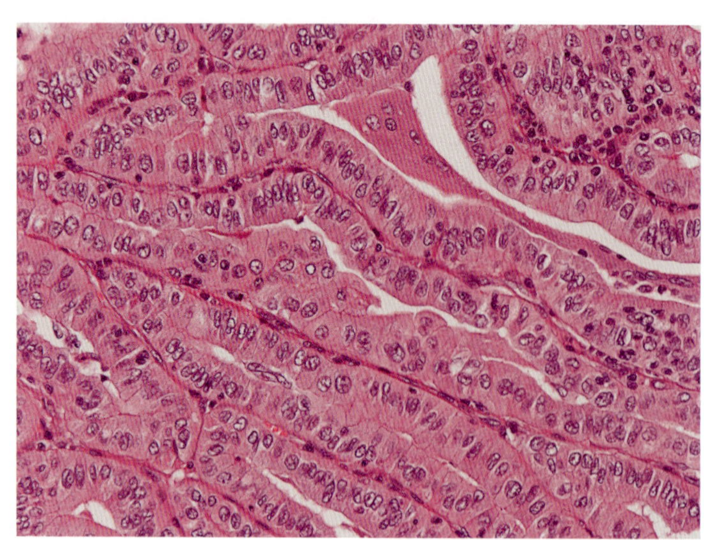

図 29　高細胞型乳頭癌

縦長の腫瘍細胞（高さが幅の3倍以上)から構成されている。

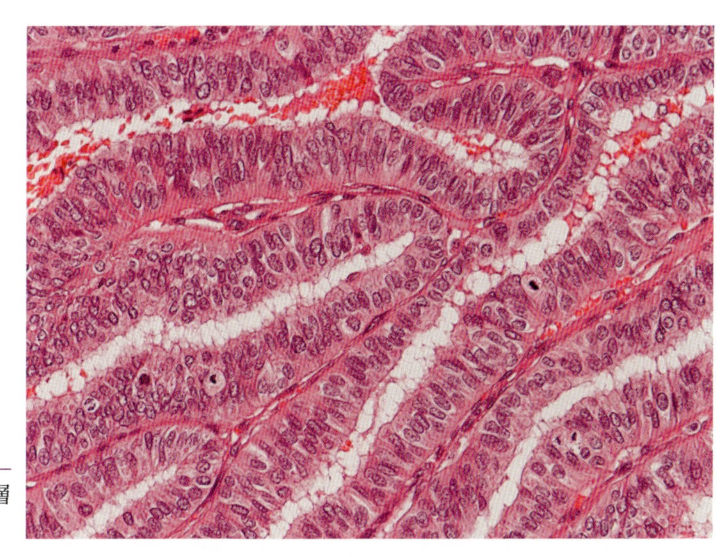

図 30　円柱細胞型乳頭癌

高円柱状の腫瘍細胞が偽重層化を示して配列している。

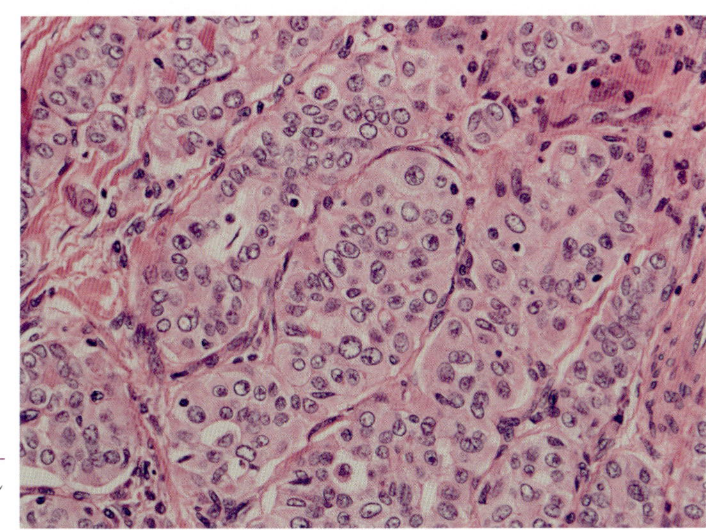

図 31　充実型乳頭癌

腫瘍細胞は濾胞形成に乏しく，充実性増殖を示す。

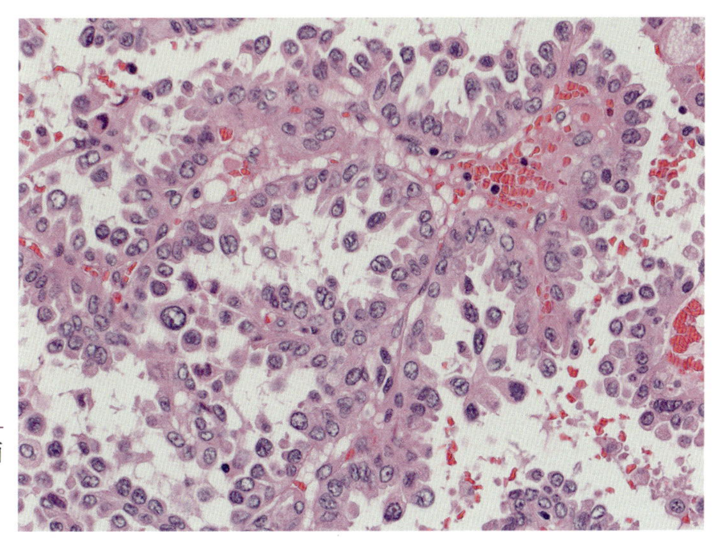

図 32　ホブネイル型乳頭癌

腫瘍細胞の核が細胞の遊離面近くに突出する像（ホブネイル所見）を認める。

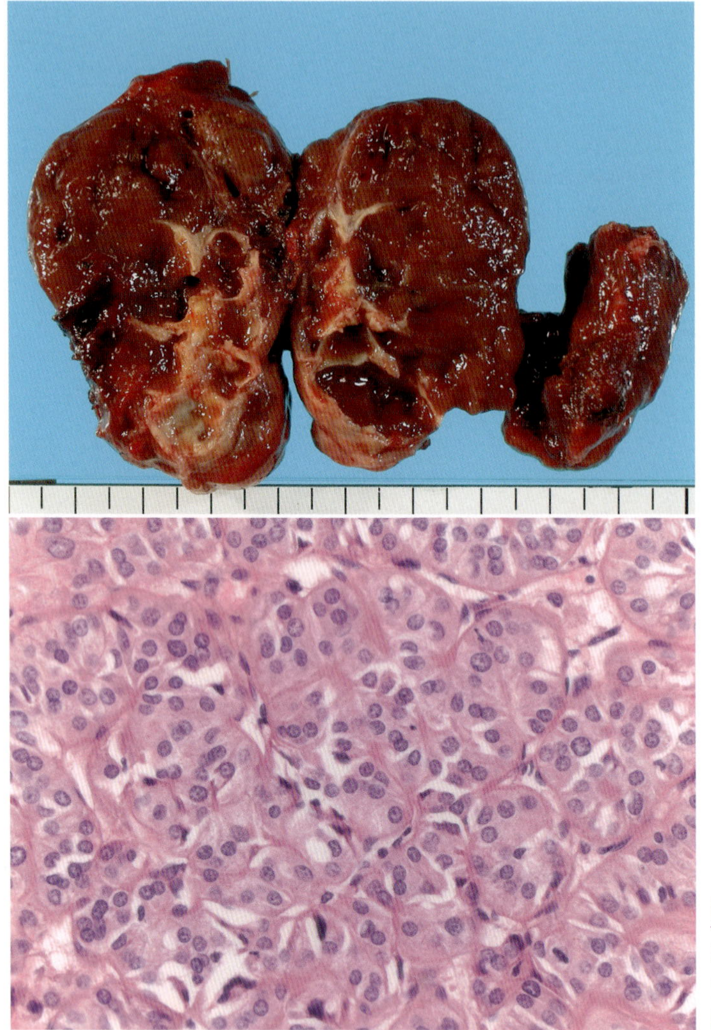

図 33　膨大細胞癌

肉眼的にマホガニー色（赤褐色）で（上図），腫瘍細胞の細胞質は好酸性である（下図）。

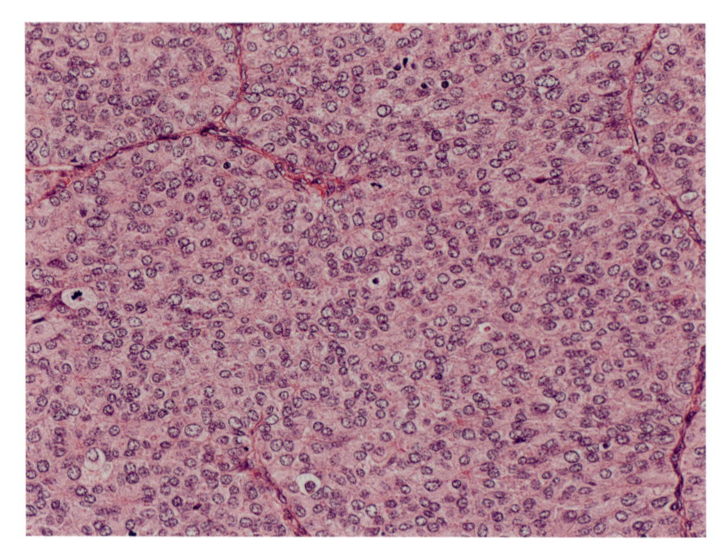

図 34　低分化癌

充実性構造を示す。

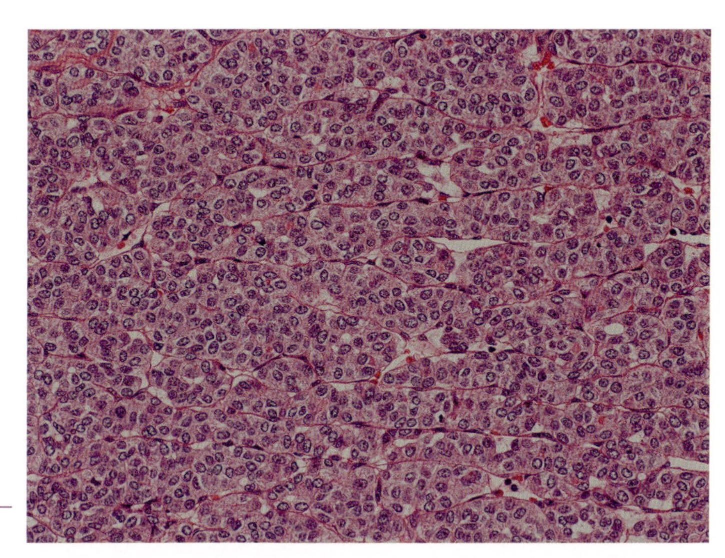

図 35　低分化癌

索状構造を示す。

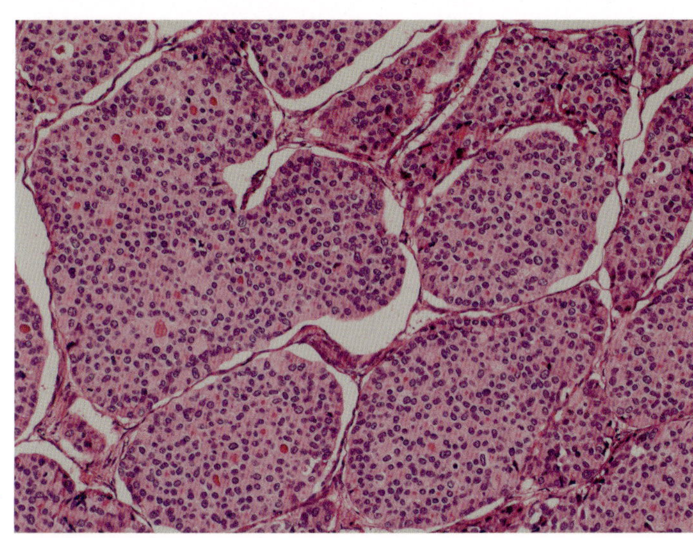

図 36　低分化癌

島状構造を示す。

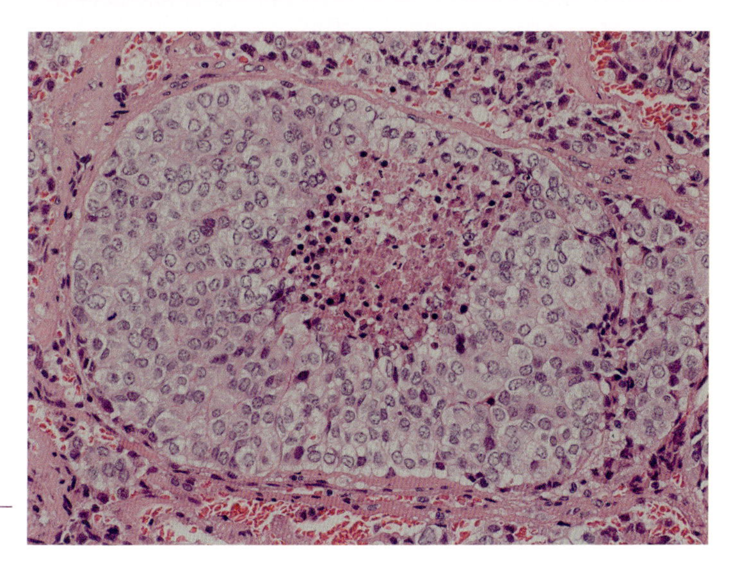

図 37　低分化癌

凝固壊死を示す。

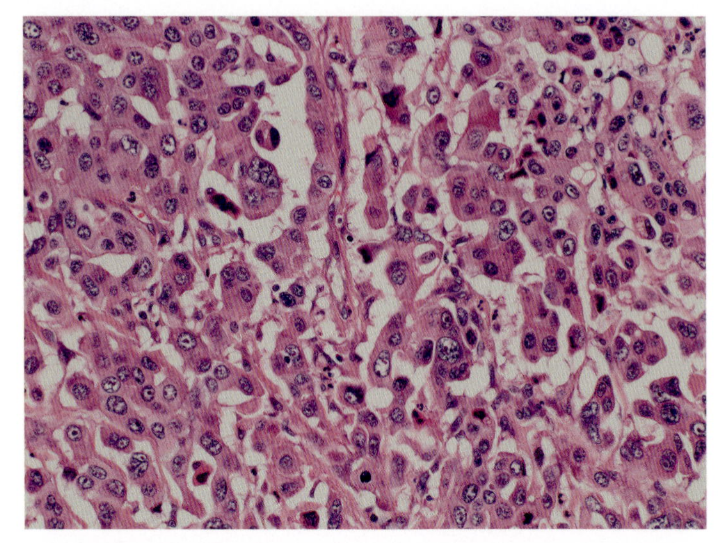

図 38　未分化癌

多形性を示す。

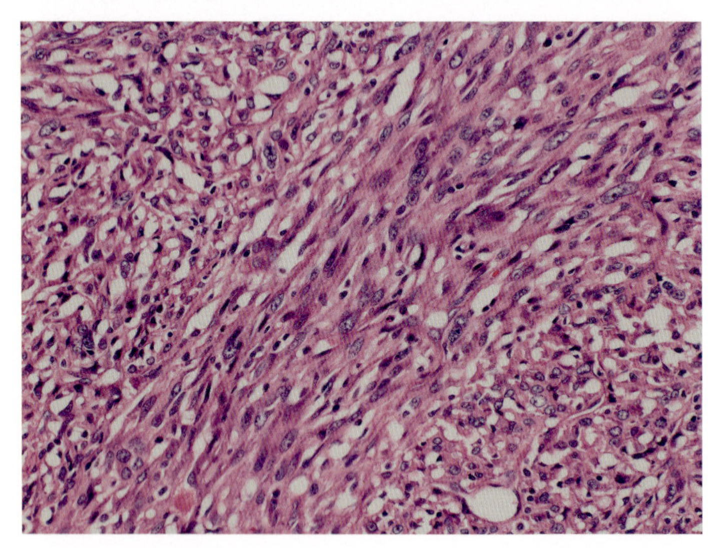

図 39　未分化癌

紡錘形を示す。

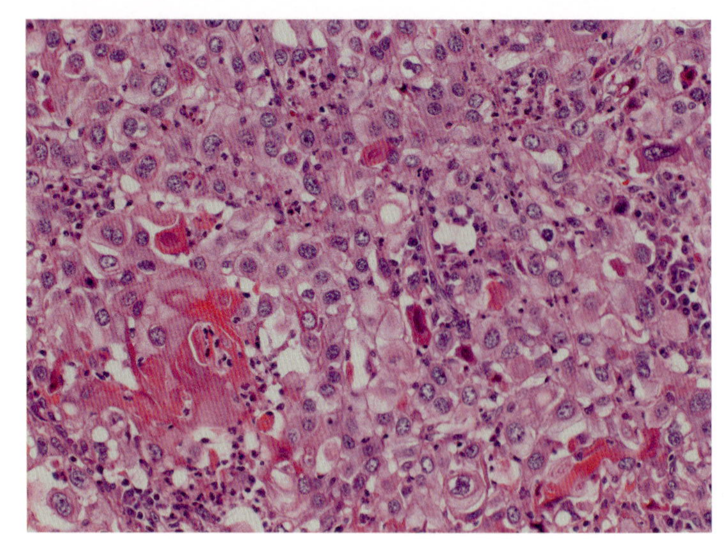

図 40　未分化癌

扁平上皮への分化を示す。

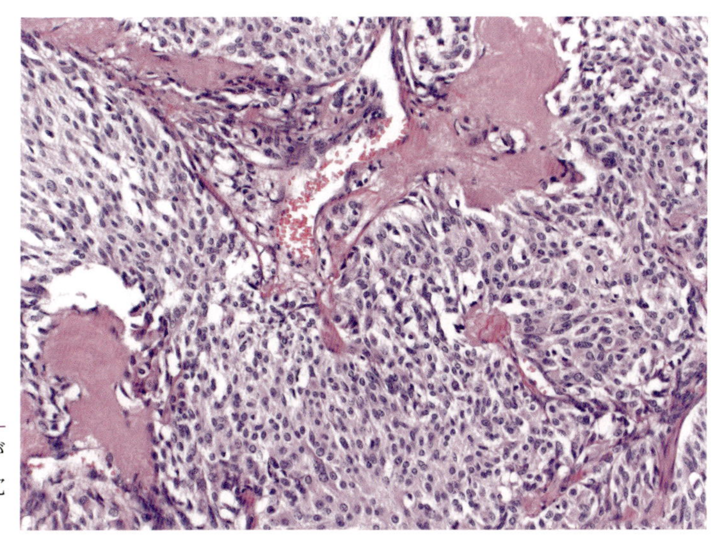

図 41　髄様癌

多角形ないし紡錘形の細胞が増殖し間質にアミロイドが沈着する。

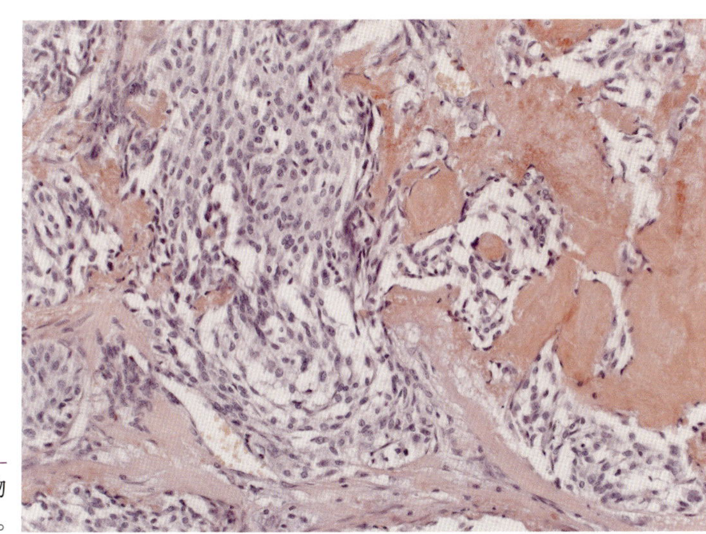

図 42　髄様癌

ダイロン染色でアミロイド物質は赤橙色の陽性所見を示す。

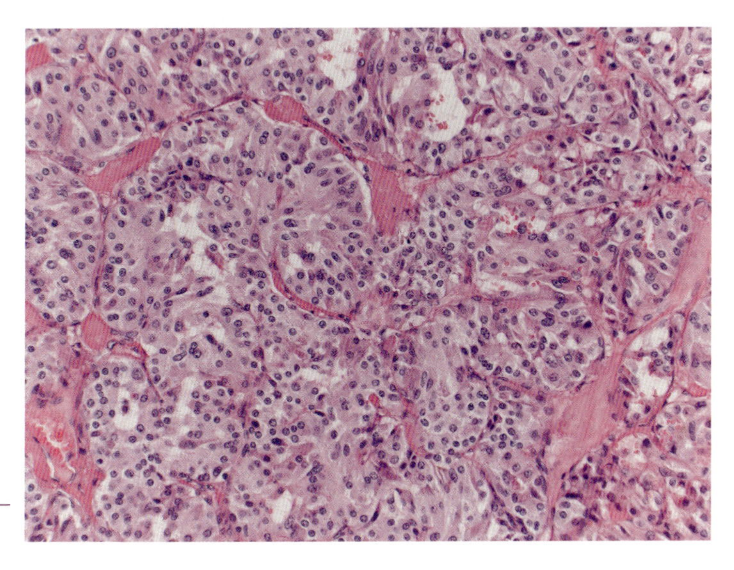

図 43　髄様癌

充実性増殖を示す。

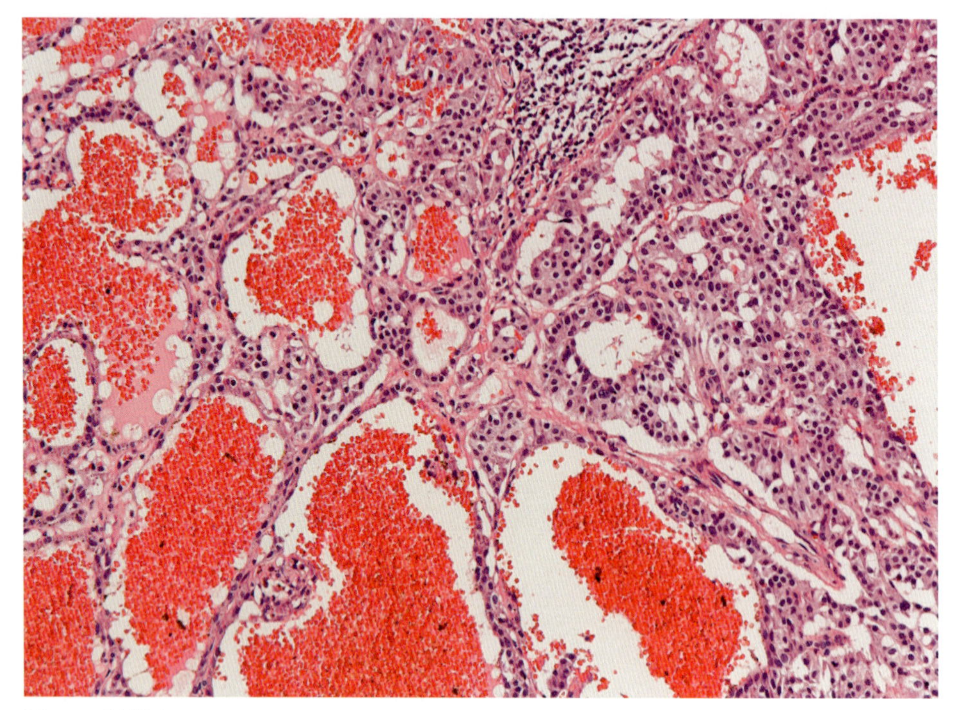

図 44　髄様癌

濾胞状構造を示す。

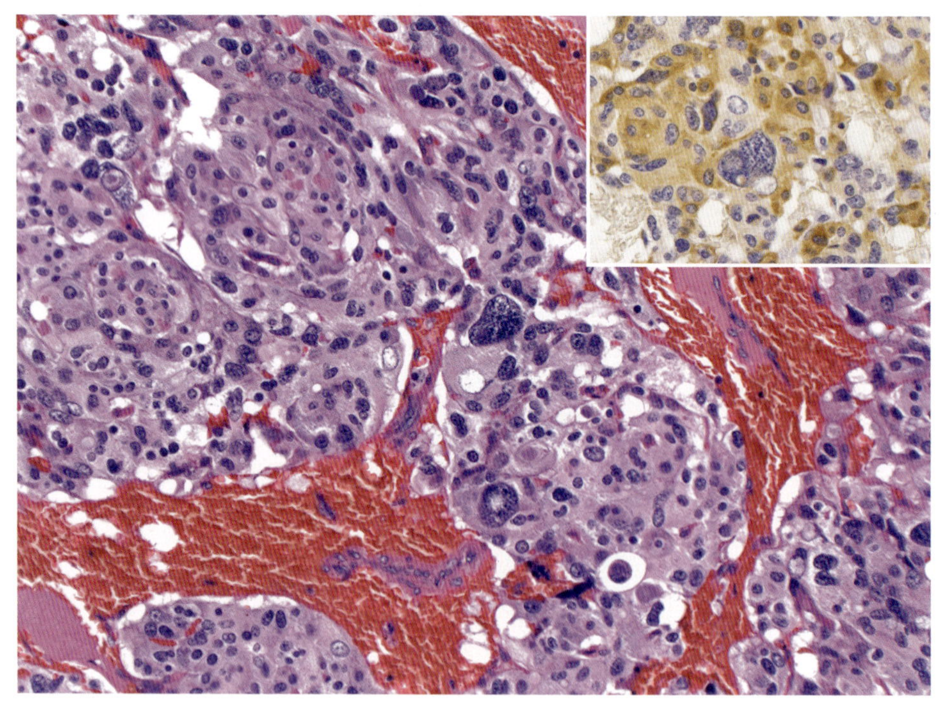

図 45　髄様癌

巨細胞が混在し，カルシトニン免疫染色陽性像を示す（挿入図）。

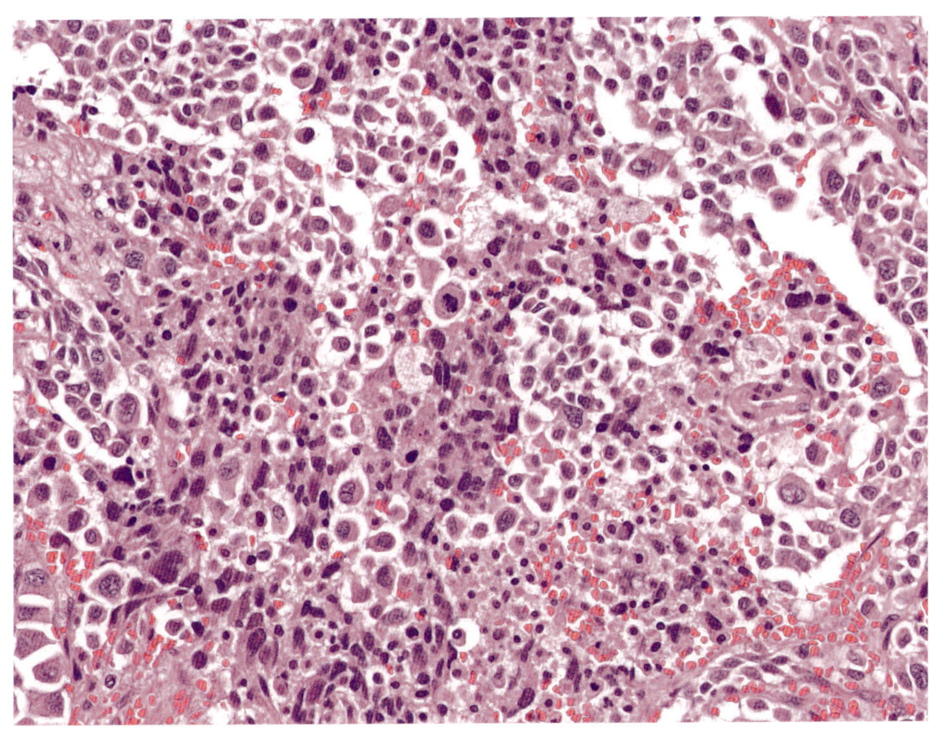

図 46　高異型度髄様癌

細胞分裂像，腫瘍壊死がみられる。

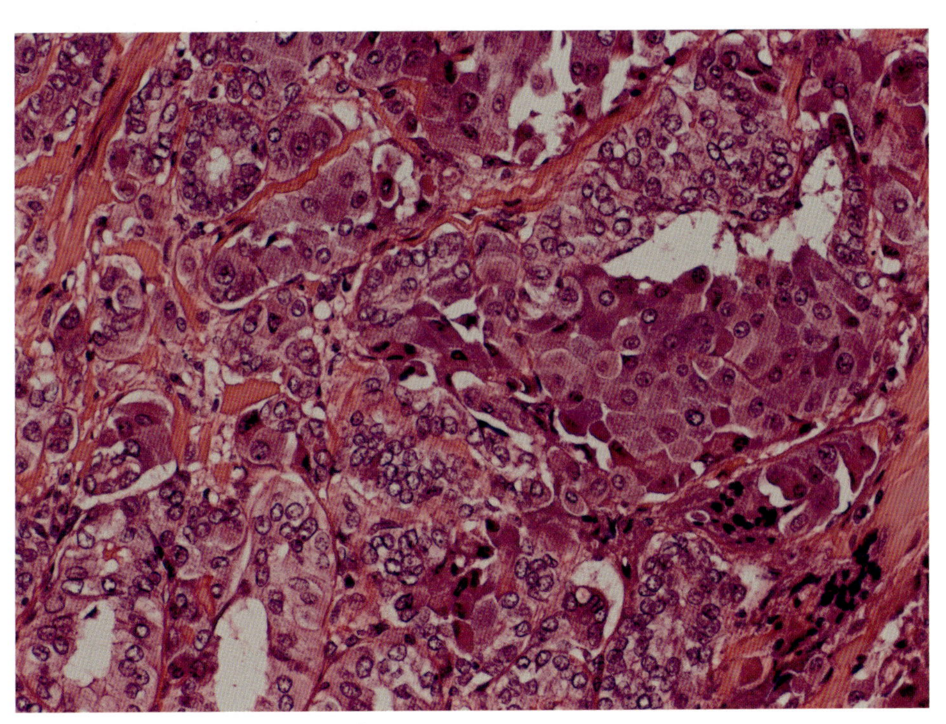

図 47　混合性髄様癌・濾胞細胞癌

髄様癌成分と乳頭癌成分が混在してみられる。

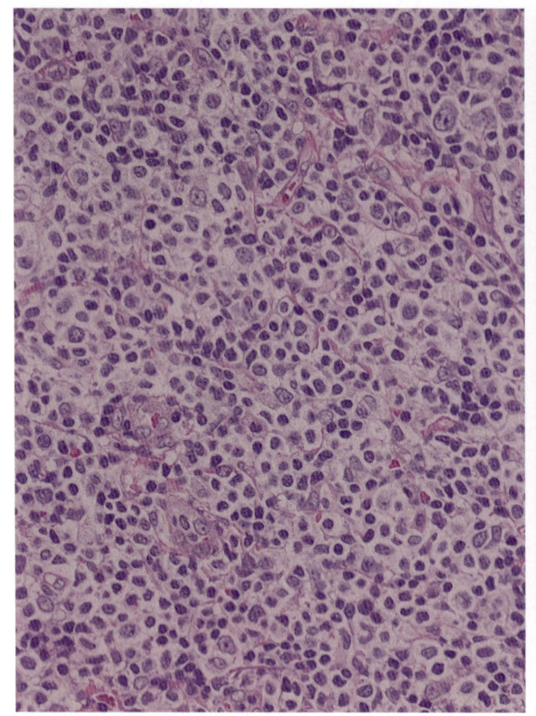

図 48　MALT リンパ腫

胚中心細胞様細胞や単球様 B 細胞を認める。

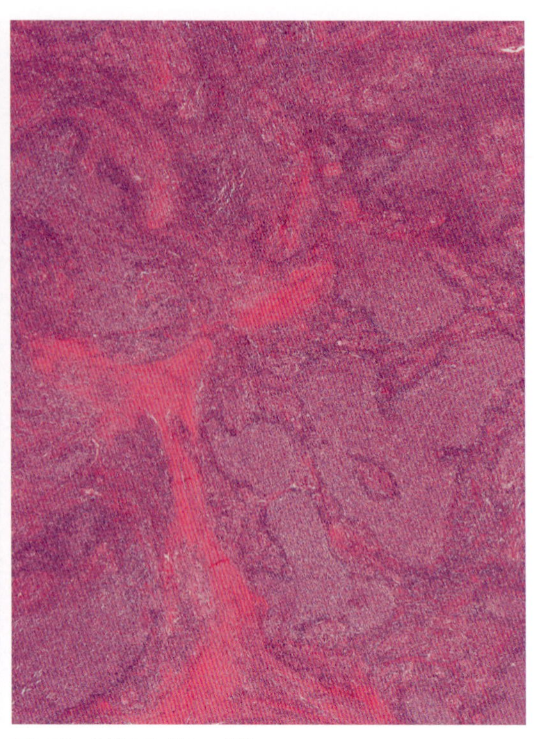

図 49　MALT リンパ腫

follicular colonization を認める。

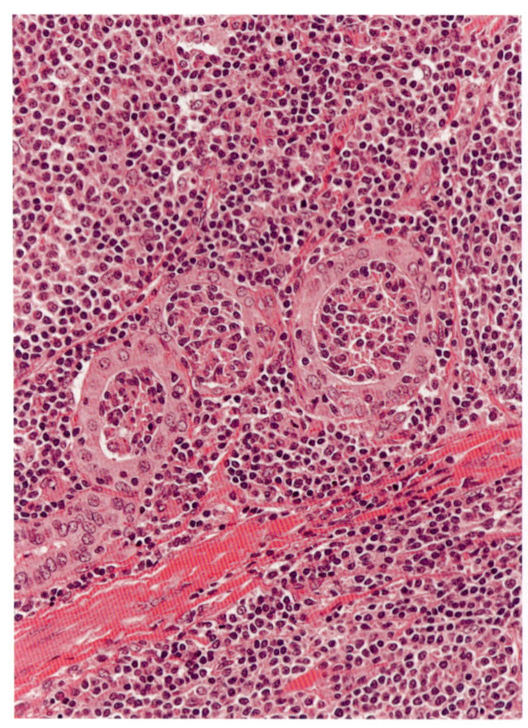

図 50　MALT リンパ腫

MALT ball を認める。

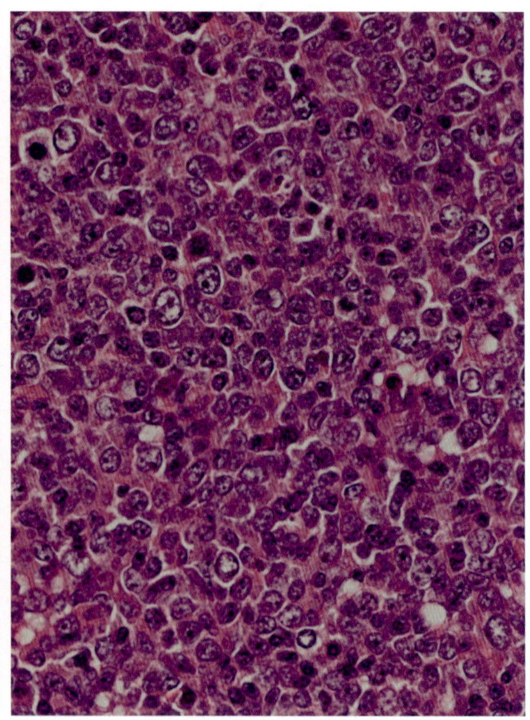

図 51　びまん性大細胞型 B 細胞リンパ腫

大型異型リンパ球の一様の増殖を示す。

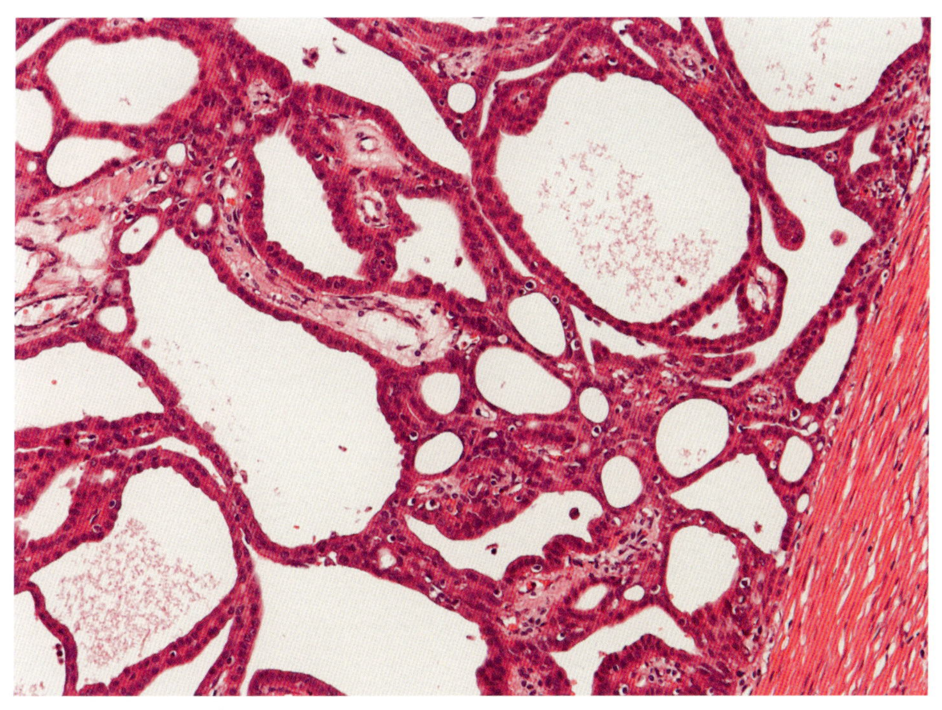

図 52　篩状モルラ癌

構成する濾胞はコロイドが欠如している。

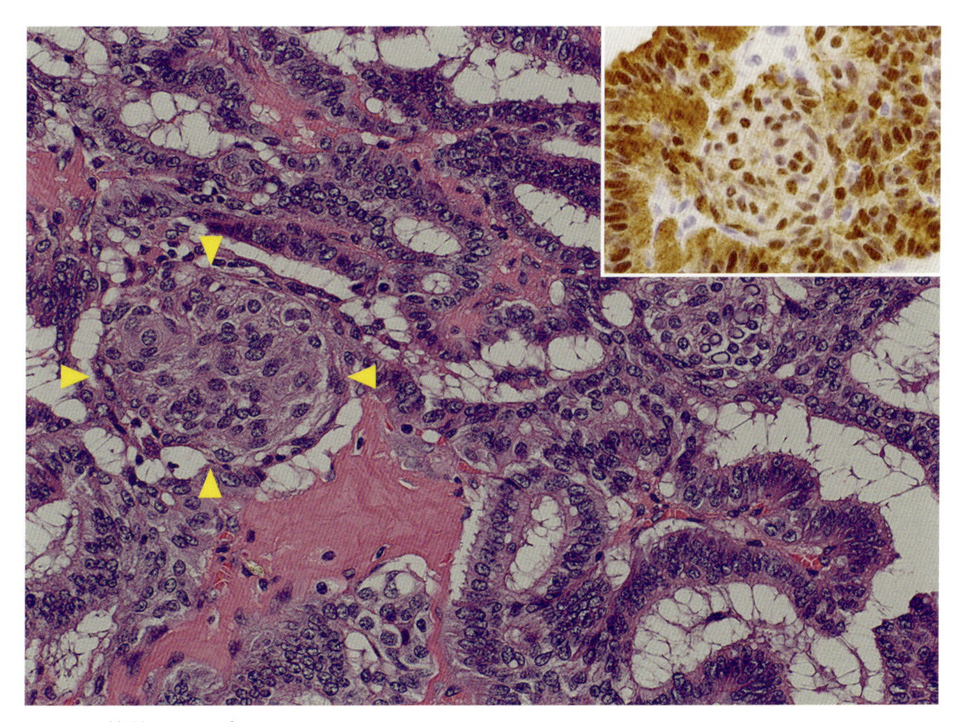

図 53　篩状モルラ癌

一部にモルラ構造（矢頭）を認める。βカテニン免疫染色で腫瘍細胞の細胞質と核に異所性陽性を認める（挿入図）。

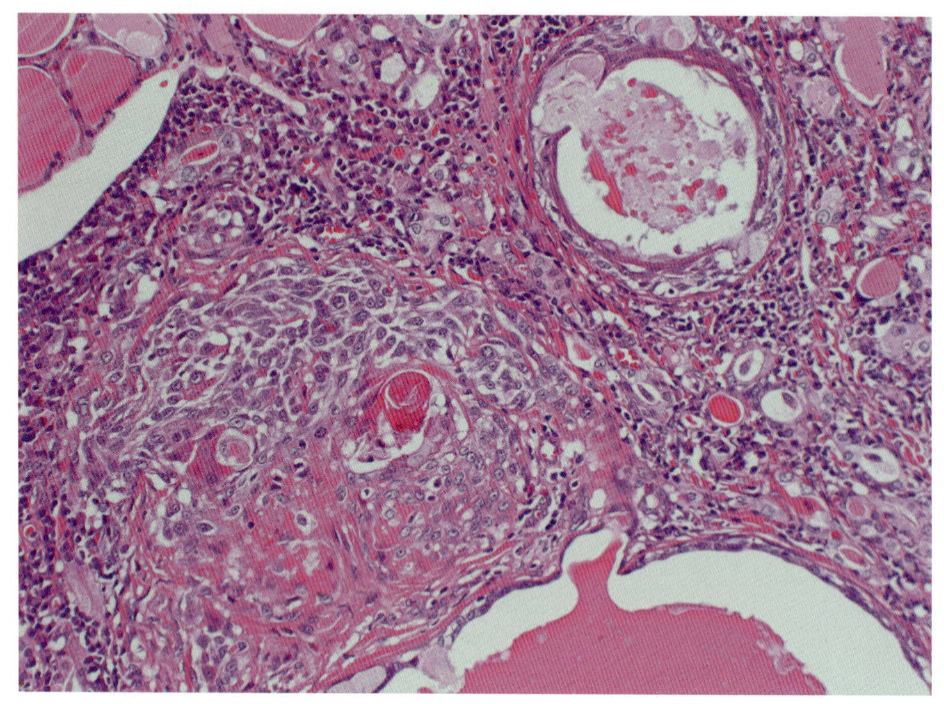

図 54　粘表皮癌

唾液腺由来の粘表皮癌と類似した組織像を示す。

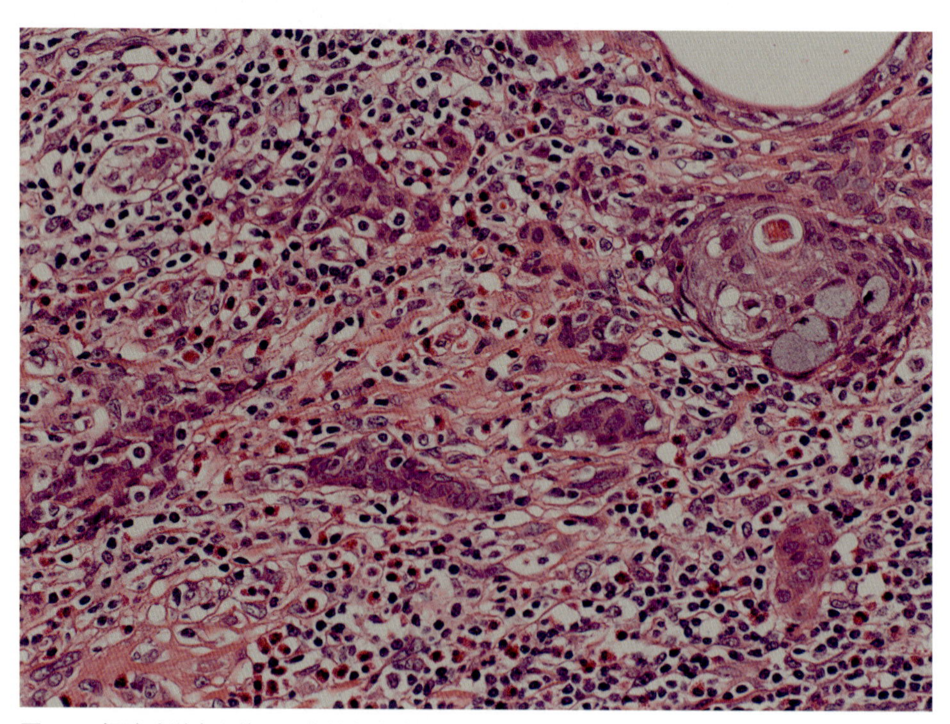

図 55　好酸球増多を伴う硬化性粘表皮癌

間質に好酸球，リンパ球，形質細胞浸潤および顕著な線維化を伴う。

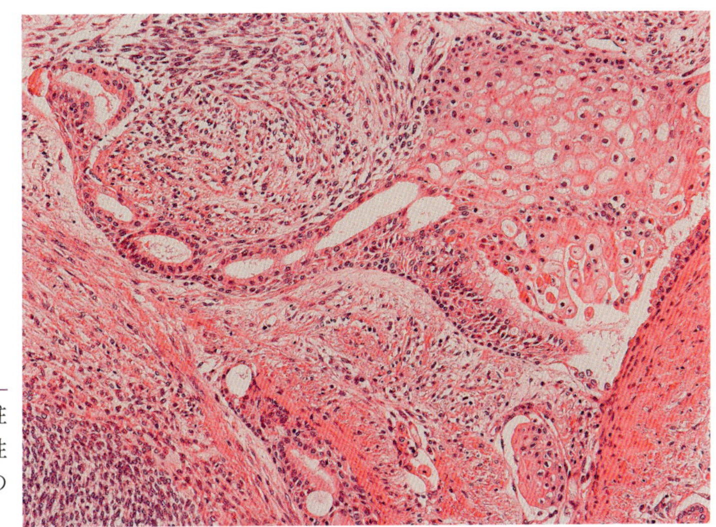

図 56　胸腺様分化を伴う紡錘形細胞腫瘍（SETTLE）

紡錘形細胞の束状配列と円柱状細胞の腺管状配列の二相性を示す。一部に扁平上皮への分化もみられる。

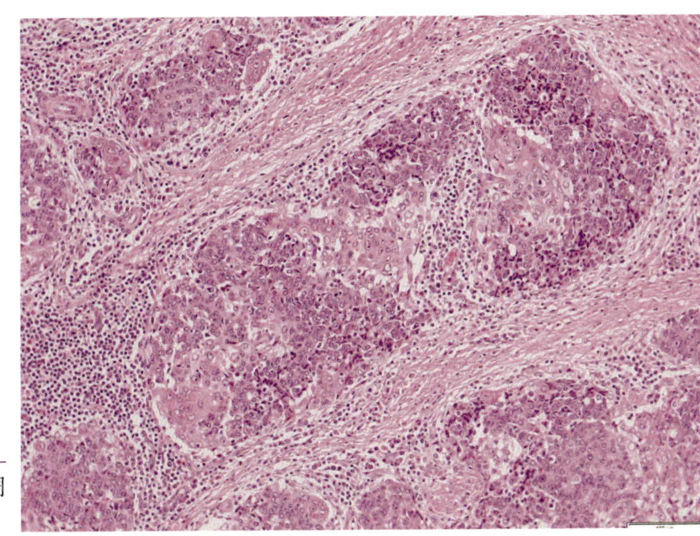

図 57　甲状腺内胸腺癌（ITC）

島状構造を示す腫瘍細胞の周囲に明瞭な線維化を伴う。

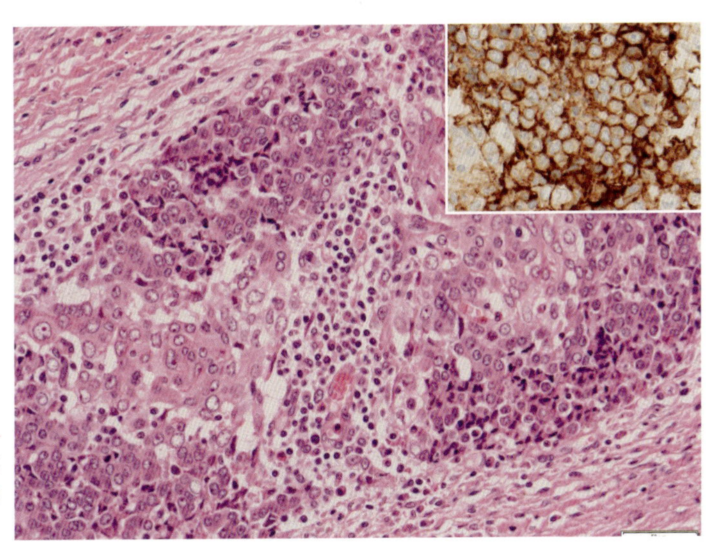

図 58　甲状腺内胸腺癌（ITC）

腫瘍細胞に扁平上皮への分化を認める。CD5 免疫染色で陽性である（挿入図）。

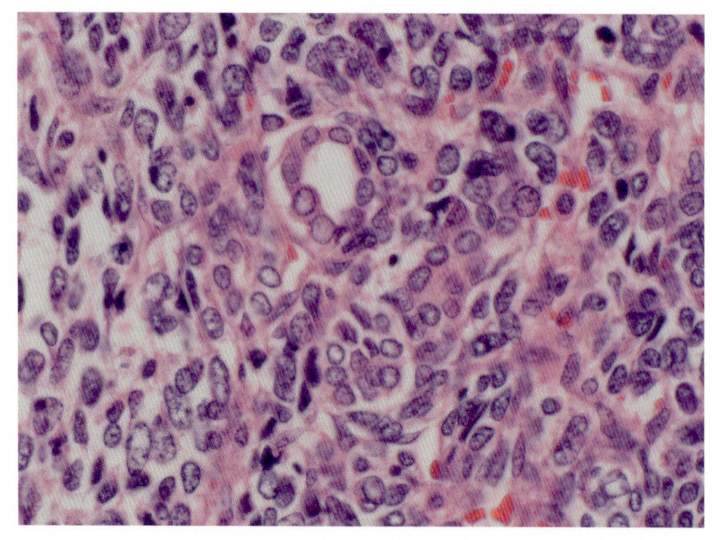

図 59　甲状腺芽腫

未熟な円形～楕円形細胞の増殖と幼弱な濾胞腔構造を示す。

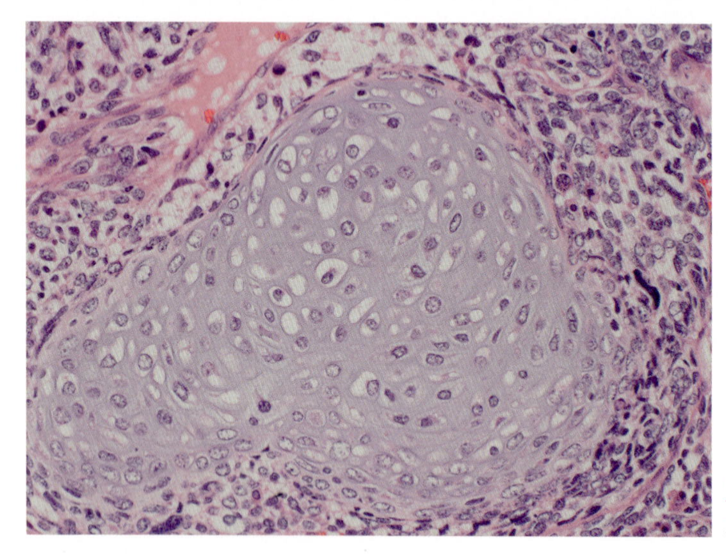

図 60　甲状腺芽腫

巣状に軟骨成分がみられる。

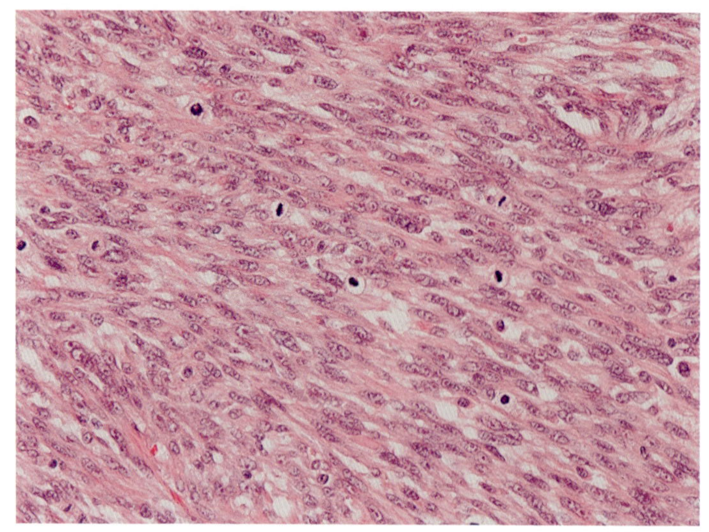

図 61　平滑筋肉腫

多数の核分裂像を認める。

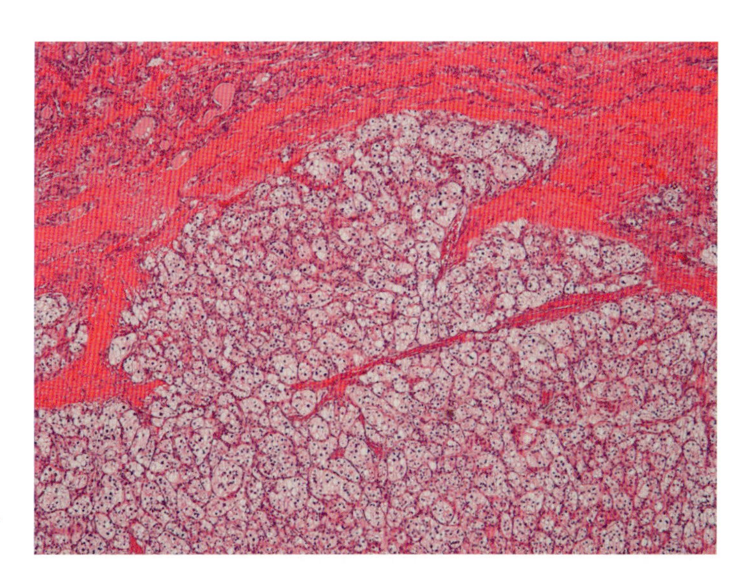

図 62　腎癌の甲状腺転移

明細胞型腎細胞癌の転移。

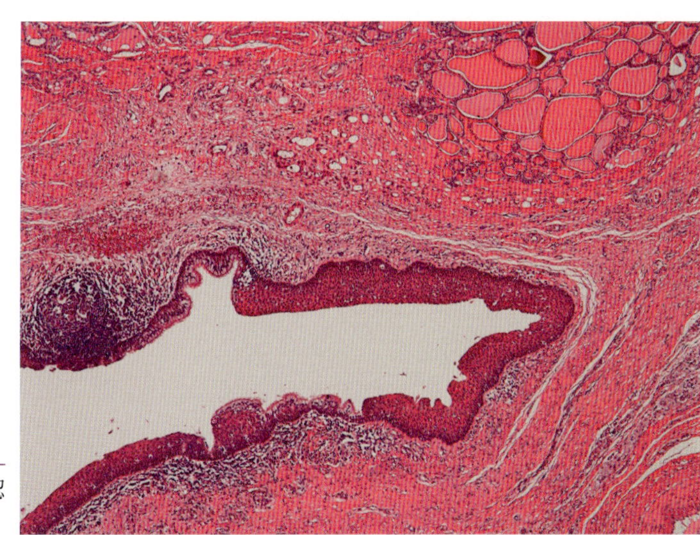

図 63　甲状舌管嚢胞

嚢胞の周囲に甲状腺組織を認める。

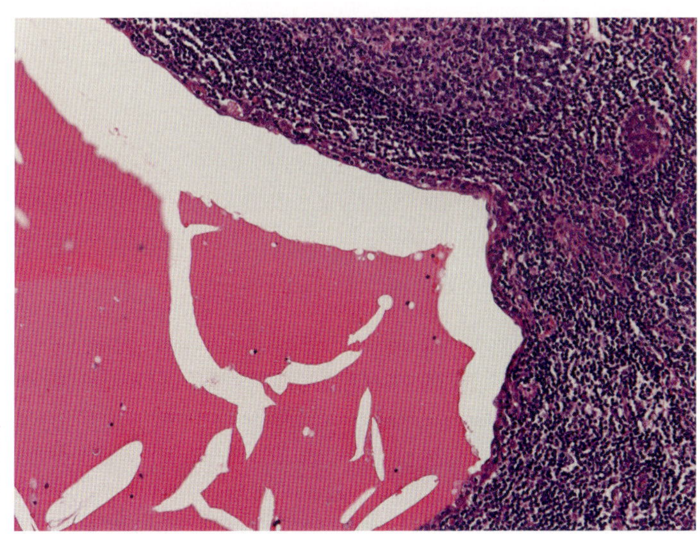

図 64　リンパ上皮嚢胞

嚢胞の内腔面は扁平上皮で覆われ，周囲にリンパ球浸潤がみられる。

E．細胞診

穿刺吸引細胞診 fine needle aspiration cytology（FNAC）は，1）手技が簡単で，2）患者への苦痛が少なく，3）繰り返し実施でき，4）質的診断精度が針生検とほぼ同じであることから，最も一般的に行われている甲状腺病変の形態学的診断法である。また，術中迅速診断時に作製される凍結組織標本ではしばしばアーチファクトにより核内に封入体様構造物が出現し診断に支障をきたすことから，捺印塗抹標本による細胞診の併用が有用である。

以下に穿刺吸引細胞診のインフォームド・コンセント，標本採取，標本作製法，報告様式，細胞所見を記す。

1．インフォームド・コンセント

穿刺吸引を行う前に，患者に次に記す穿刺吸引細胞診の説明を行い，患者の同意を得，恐怖心を最小限にし，検査時における最大限の協力を求めることが必要である。

a. 患者が有している病変の説明を行う。

b. 病変を診断するいくつかの方法とそれぞれの利点，欠点，合併症などを説明する。

c. 穿刺吸引細胞診の手技を説明し，患者の協力を求める。

d. 診断は細胞検査士や細胞診専門医・病理専門医によって行われることを説明する。

e. 採取した検体は診断の目的以外には使用しないことを約束する。あるいは，目的外使用の承諾を得る。

2．標本採取

標本採取に必要な器具や，標本の処理方法の主要な注意点と手順を簡単に列挙する。

a. 安全で，診断に適した部位から細胞を採取するために，必ず超音波ガイド下で針先が目的部位に達していることを確認する。

b. 陰圧状態で針先を腫瘤内ですばやく前後に動かし，あるいは回転を加えて，切り取り運動にて細胞を採取する。単に陰圧によって検体を注射針内に入れるだけではないことを理解しておくべきである。

c. 診断に必要な検体量は通常注射針内の量で十分である。吸引物が注射筒内に入ってきた場合には直ちに穿刺吸引操作を中止する。ただし，液状検体の場合は続行する。

d. 注射針の抜去は，ピストンを戻し，陰圧を解除してから行う。陰圧をかけたまま抜去すると注射針内の検体が注射筒内に移動し，乾燥変性するだけでなく，採取した細胞がプレパラートに塗抹できなくなる。

e. 注射筒から針を一度外し，注射筒内に空気を入れた後，再び注射針を装着し，注射針内の検体をプレパラート上に吹き出す。

f. 充実部を有する嚢胞性病変では充実部を穿刺する。

g. 無吸引穿刺法：注射針を指で直接持ち穿刺する方法で，細胞密度が高い病変の場合には吸引操作を行わなくても十分な量の細胞を採取することができる。また，強引に吸引しないために出血や細胞変性が少なく，血管に富む病変（濾胞腺腫，濾胞癌）や細胞変性が加わりやすい病変（リンパ腫）で推奨される。一方，細胞密度が低い病変，線維性の病変では採取不良になりやすい。

3．標本作製法

a．塗抹法

採取した検体の性状や量により最適な塗抹法を選択する。

半固形物，粘稠な液状検体，少量の液状検体の場合

検体を２枚のプレパラートで挟み，そのまま上下に離す（合わせ法）。細胞の破壊が少なく，組織構築も保たれやすいので，細胞学的特徴と組織構築の両方の観察に適している。

採取細胞量が多い場合

検体を２枚のプレパラートで挟み，水平にずらすことにより検体を引き伸ばす（擦り合わせ法）。あるいは，合わせ法を数回繰り返す。

組織片が採取された場合

検体を２枚のプレパラートで挟み，指で圧を加えて引き伸ばす（圧挫法）。

採取細胞量が非常に少ない場合

乾燥を防ぐため，検体をプレパラートに吹き出し，何もせず直ちに固定する（吹き付け法）。その後，穿刺針から液状化検体細胞診 liquid-based cytology（LBC）を行う。

嚢胞液を吸引した場合

遠心後，沈渣を塗抹する。あるいは，LBC を行う。

末梢血が混入した場合

直ちにプレパラートを斜めあるいは垂直にし，血液成分を下方へ流し落とす。流れない場合はプレパラートを軽く叩き付けて，強制的に血液を流し落とす。細胞成分の多くは最初に塗抹された部分に顆粒状の物質として確認できるので，最初に塗抹された範囲外に広がった血液成分を拭き取った後，合わせ法を行う。

b．固定法

通常，湿固定を行う。湿固定には，液浸固定法（95％エタノール），スプレー固定法，滴下法などがある。塗抹後直ちに固定処理を行うべきであるが，液状検体の場合は塗抹後 5～10 秒間待ってから固定すると，細胞の剝離を防止しやすい。

ギムザ Giemsa 染色を行う場合には，乾燥固定法を用いる。

c．液状化検体細胞診　Liquid-based cytology（LBC）

採取した検体を一度専用保存液内に移し，特別な方法で専用プレパラートに薄く塗抹し標本を作製する方法で，フィルター転写法と遠心沈降法の２種類がある。穿刺・塗抹後の注射針洗浄液を，あるいは採取材料の全てを検体として用いる。いずれも LBC 専用の固定液で洗浄するが，溶血作用・蛋白分解作用のあるものが推奨される。LBC の利点は採取細胞量の回収率が高いことで，LBC の導入により検体不適正率が減少する。したがって，細胞採取量が少ないと思われる症例，末梢血が混入した症例，液状検体の場合は有用である。ただし，細胞像は通常塗抹標本とは必ずしも同じではなく，また，LBC 作製法や固定液によっても異なるため，LBC 標本の鏡検には知識や経験が必要である。

4．報告様式

本報告様式は細胞診の結果報告に用いる判定区分とその記載方法を定めたものである。判定区分は，検体不適正，囊胞液，良性，意義不明，濾胞性腫瘍，悪性の疑い，悪性の 7 区分に分類する。検体不適正を除く 6 区分は検体適正である。

報告書には，判定区分，判定の根拠となった細胞所見および推定される病変を具体的に記載する。また，本規約の組織学的分類（p22）に基づき推定される組織型を可能な限り記載する。

a．判定区分

検体不適正　Unsatisfactory

囊胞液　Cyst Fluid

良性　Benign

意義不明　Undetermined Significance

濾胞性腫瘍　Follicular Neoplasm

悪性の疑い　Suspicious for Malignancy

悪性　Malignant

b．判定区分の診断基準（表 2，3）

表 2　検体の適正・不適正の基準

適正：下記の 4 項目のいずれかの場合を適正とする
1）10 個程度の濾胞細胞からなる集塊が 6 個以上
2）豊富なコロイド
3）異型細胞の存在（細胞数は問わない）
4）リンパ球，形質細胞，組織球などの炎症細胞
不適正：下記の 2 項目のいずれかの場合を不適正とする
1）標本作製不良（乾燥，変性，固定不良，末梢血混入，塗抹不良など）
2）上記適正の項目のいずれにも該当しない

1）検体不適正　Unsatisfactory

標本作製不良（乾燥，変性，固定不良，末梢血混入，塗抹不良など）のため，あるいは病変を推定するに足る細胞ないし成分（10 個程度の濾胞細胞からなる集塊が 6 個以上，豊富なコロイド，異型細胞，炎症細胞など）が採取されていないため細胞診断ができない標本を指す（図65〜67）。検体不適正とした標本は，その理由を明記する（例；細胞少数，細胞の乾燥や変性，末梢血混入，塗抹不良など）。嚢胞を示唆する組織球，血液，筋肉，線毛細胞などは判定基準の対象にならない。本区分では再検が望ましい。

2）嚢胞液　Cyst Fluid

嚢胞液で，コロイドや濾胞細胞を含まない標本を指す（図68）。本区分のほとんどは良性の

表３　甲状腺細胞診の判定区分と該当する所見および標本・疾患

判定区分	所　見	標本・疾患
検体不適正 Unsatisfactory	細胞診断ができない	標本作製不良（乾燥，変性，固定不良，末梢血混入，塗抹不良など） 病変を推定するに足る細胞あるいは成分（10 個程度の濾胞細胞からなる集塊が 6 個以上，豊富なコロイド，異型細胞，炎症細胞など）がない
嚢胞液 Cyst Fluid	嚢胞液で，診断に足るコロイドや濾胞細胞を含まない	良性の嚢胞に由来する。稀に嚢胞形成性乳頭癌が含まれることがある
良性 Benign	悪性細胞を認めない	正常甲状腺，腺腫様甲状腺腫，甲状腺炎（急性，亜急性，慢性，リーデル），バセドウ病などが含まれる
意義不明 Undetermined Significance	良性・悪性の鑑別が困難，他の区分に該当しない，診断に苦慮する	乳頭癌の可能性がある（乳頭癌を示唆する細胞が少数，腺腫様甲状腺腫と乳頭癌の鑑別が困難，橋本病と乳頭癌の鑑別が困難），特定が困難な異型細胞が少数，濾胞性腫瘍と乳頭癌の鑑別が困難，橋本病とリンパ腫との鑑別が困難，硝子化索状腫瘍が疑われる，などが含まれる
濾胞性腫瘍 Follicular Neoplasm	濾胞腺腫または濾胞癌が推定される，あるいは疑われる	多くは濾胞腺腫，濾胞癌である。膨大細胞腫瘍，奇怪核を伴った濾胞腺腫を推定する標本も含まれる。腺腫様甲状腺腫，NIFTP，濾胞型乳頭癌，副甲状腺腺腫のこともある
悪性の疑い Suspicious for Malignancy	悪性と思われる細胞が少数または所見が不十分なため，悪性と断定できない	種々の悪性腫瘍が含まれるが，その多くは乳頭癌である。良性疾患や低リスク腫瘍で含まれる可能性のあるものとしては，奇怪核を伴った濾胞腺腫，腺腫様甲状腺腫，橋本病，硝子化索状腫瘍などがある
悪性 Malignant	悪性細胞を認める	乳頭癌，低分化癌，未分化癌，髄様癌，リンパ腫，転移癌などが含まれる

嚢胞である。稀に嚢胞形成性の乳頭癌が含まれることがあるため，定期的な経過観察が望ましい。画像上，嚢胞内に充実部がある場合は，充実部からの再検が望ましい。

3）**良性**　Benign

悪性細胞を認めない標本を指す（図69〜71）。本区分には正常甲状腺，腺腫様甲状腺腫，甲状腺炎（急性，亜急性，慢性，リーデル），バセドウ病などが含まれる。

4）**意義不明**　Undetermined Significance

細胞学的に良性・悪性の鑑別が困難な標本を指す（図72，73）。他の区分に該当しない標本，診断に苦慮する標本も含まれる。濾胞性腫瘍および膨大細胞腫瘍を推定する標本は除く。具体的には，乳頭癌の可能性がある（乳頭癌を示唆する細胞が少数，腺腫様甲状腺腫と乳頭癌の鑑別が困難，濾胞性腫瘍と乳頭癌の鑑別が困難，橋本病と乳頭癌の鑑別が困難），特定が困難な異型細胞が少数，腺腫様甲状腺腫と濾胞性腫瘍の鑑別が困難，橋本病とリンパ腫との鑑別が困難，硝子化索状腫瘍が疑われる，などが含まれる。本区分では再検が望ましい。

5）**濾胞性腫瘍**　Follicular Neoplasm

濾胞腺腫または濾胞癌が推定される，あるいは疑われる標本を指す。膨大細胞腫瘍や奇怪核を伴った濾胞腺腫を推定する標本も含まれる。本区分の多くは濾胞腺腫，濾胞癌，膨大細胞腺腫，膨大細胞癌であるが，腺腫様甲状腺腫，乳頭癌，副甲状腺腺腫のこともある。乳頭癌の核所見が軽度みられる場合は，NIFTPの可能性を考慮して，本カテゴリーに分類する。再検により他の区分に変わる可能性は低い。

6）**悪性の疑い**　Suspicious for Malignancy

悪性と思われる細胞が少数または所見が不十分なため，悪性と断定できない標本を指す（図74）。本区分には種々の悪性腫瘍が含まれるが，その多くは乳頭癌である。「濾胞癌の疑い」という診断名は用いない。乳頭癌を疑うが濾胞性腫瘍や膨大細胞腫瘍が否定できない標本も含まれる。なお，その他に本区分に含まれる可能性があるものとしては硝子化索状腫瘍，奇怪核を伴った濾胞腺腫，腺腫様甲状腺腫，橋本病などがある。

7）**悪性**　Malignant

悪性細胞を認める標本を指す。本区分には乳頭癌，低分化癌，未分化癌，髄様癌，リンパ腫，転移癌などが含まれる。

c．付帯事項

1）検体不適正が占める割合は，細胞診検査総数の10%以下が望ましい。10%を超える場合は採取方法，標本作製方法についての検討が必要である。
2）意義不明が占める割合は，検体適正症例の10%以下が望ましい。
3）濾胞性腫瘍が占める割合は，検体適正症例の10%以下が望ましい。
4）悪性の疑いは，その後の組織学的検索で本区分の80%以上が悪性であることが望ましい。
5）意義不明や濾胞性腫瘍における10%，および悪性の疑いにおける80%の数値から明らかに逸脱するときは細胞診断に関する検討が必要である。
6）細胞診では，画像所見との整合性を考慮して診断することが望ましい。

d．本規約とベセスダシステムの異同（表 4）

1）泡沫細胞のみみられる嚢胞液

ベセスダシステムでは，泡沫細胞のみみられる嚢胞液は，嚢胞形成性乳頭癌の可能性が否定できないとして「検体不適正」に区分されている。本規約では，そのような症例の悪性の危険度は「検体不適正」よりも低く，「良性」とほぼ同様であることから，適正と判断し，「嚢胞液」として独立した区分で報告する。

2）悪性の危険度と推奨する臨床的対応

ベセスダシステムでは，悪性の危険度と推奨する臨床的対応が記載されている。しかし，本邦と欧米では各腫瘍の頻度，切除の適応，社会的状況が異なるため，それらの基準をそのまま導入することは現在の時点では困難である。したがって，本規約では，悪性の危険度と推奨する臨床的対応には言及していない。

表 4　甲状腺細胞診報告様式の比較

<table>
<tr><th>第 9 版甲状腺癌取扱い規約
(2023)</th><th>第 3 版ベセスダシステム
(2023)</th><th>甲状腺結節取扱い診療 GL
(2013)</th></tr>
<tr><td>検体不適正　Unsatisfactory</td><td rowspan="2">Nondiagnostic</td><td>検体不適正　inadequate</td></tr>
<tr><td>嚢 胞 液　Cyst Fluid</td><td rowspan="2">正常あるいは良性　normal or benign</td></tr>
<tr><td>良　　性　Benign</td><td>Benign</td></tr>
<tr><td>意義不明
Undetermined Significance</td><td>Atypia of Undetermined Significance（AUS）</td><td>鑑別困難 B 群　濾胞性腫瘍以外が疑われる</td></tr>
<tr><td rowspan="3">濾胞性腫瘍
Follicular Neoplasm</td><td rowspan="3">Follicular Neoplasm（FN）</td><td>鑑別困難 A-1 群　良性の可能性が高い
favor benign</td></tr>
<tr><td>鑑別困難 A-2 群　良性・悪性の境界病変
borderline</td></tr>
<tr><td>鑑別困難 A-3 群　悪性の可能性が高い
favor malignant</td></tr>
<tr><td>悪性の疑い
Suspicious for Malignancy</td><td>Suspicious for Malignancy</td><td>悪性の疑い
malignancy suspected</td></tr>
<tr><td>悪　　性　Malignant</td><td>Malignant</td><td>悪性　malignancy</td></tr>
</table>

5．細胞所見

穿刺吸引細胞診では細胞成分のみならず，間質成分を含めた組織そのものを採取することができる。したがって，標本の観察には個々の細胞所見に加えて，細胞集塊の構築や間質成分にも注意を払い，集塊内部の構造を三次元的に読み取ることが大切である。

a．腺腫様甲状腺腫

組織像の多様性を反映して細胞像も多彩である。濾胞細胞は一般に小型で，類円形ないし立方状を呈し，シート状，濾胞状，ときに乳頭状に出現する。濾胞の大きさは小型のものから大型のものまで様々である。細胞質の染色性も様々で，好酸性細胞が主体を占めることもある。ギムザ Giemsa 染色では，濾胞細胞の細胞質に空胞を伴ったリポフスチン顆粒（傍空胞顆粒 paravacuolar granule）がしばしばみられる。背景にはコロイド，泡沫細胞，ヘモジデリンを貪食した組織球，多核組織球，線維芽細胞，変性した赤血球などが観察されるが，それらの頻度や割合は症例により異なる。

嚢胞化した場合は，多量の液状検体が採取され，細胞成分のほとんどは泡沫細胞である。濾胞細胞が少ない，あるいはみられない場合は「嚢胞液」のカテゴリーに入れられる。この場合，嚢胞形成性乳頭癌も同様の所見を示すことがあるため注意を要する。

b．亜急性甲状腺炎

多核巨細胞と類上皮細胞の出現が特徴的で，リンパ球，好中球，核破砕像などを伴う。濾胞細胞は腫大あるいは変性し，細胞質が不明瞭であるため，認識が難しい。

c．橋本病

多数のリンパ球を背景に，好酸性の濾胞細胞がみられる（図 75）。好酸性細胞はシート状，小濾胞状に出現する。核の大小不同や核小体の腫大が目立つ場合，悪性腫瘍と間違えないよう注意を要する。リンパ球は小型リンパ球が優位を占め，中型から大型リンパ球が混在する。

d．濾胞性腫瘍

濾胞癌の診断は被膜浸潤，血管浸潤，または転移のいずれか一つが組織学的に確認された場合になされる。したがって，細胞学的所見はその主要な判定基準とはならないため，細胞学的所見のみから濾胞腺腫と濾胞癌を区別することは困難と考えられ，現状では濾胞性腫瘍と診断するのが妥当な対応である。

濾胞性腫瘍では血性検体のことが多く，背景にコロイド，リンパ球，泡沫細胞などはみられない。腫瘍細胞の採取量は通常多い。腫瘍細胞の大きさや形態は均一で，小濾胞状，索状に出現する（図 76，77）。小濾胞状集塊とは，15 個以下の細胞集塊で，構成細胞は円周状に配列する。小濾胞内に濃縮した円形のコロイドをみることもある。細胞質の染色性は乳頭癌に比べて薄く，細胞境界は不明瞭である。小濾胞間に毛細血管がみられる症例もある。

膨大細胞腫瘍では腫瘍細胞の細胞質はライトグリーンに好染し，顆粒状で，細胞境界は明瞭である（図 78，79）。核小体は大きく，目立つ。奇怪核を伴った濾胞腺腫では大型異型細胞が散見され，悪性腫瘍と混同しやすいので注意を要する（図 80）。

e．硝子化索状腫瘍

腫瘍細胞が硝子物を取り囲むように出現する像が特徴的であり，腫瘍細胞と硝子物の境界は不明瞭である。結合性は乏しく，乳頭状構造，濾胞状構造，シート状配列はみられない。腫瘍細胞は類円形から紡錘形，細胞境界は極めて不明瞭，細胞質は淡染性である。周囲に明暈を伴った淡染性の滴状物（黄色体）が細胞質内に観察される。核内細胞質封入体や核の溝が観察されるが，すりガラス状核や核重畳はみられない。

f．乳頭癌

採取細胞量は豊富で，腫瘍細胞は乳頭状（図 81），濾胞状，シート状（図 82），孤立散在性に出現する。乳頭状集塊の内部には血管結合織性の間質成分が存在し，腫瘍細胞はそれを取り囲むように位置している。腫瘍細胞のみが間質成分を伴わないで塗抹された場合は，単層シート状に出現し，シートの辺縁では折れ曲がりや核の直線的柵状配列がみられる。

核は密集し，円形ないしやや楕円形を呈する。核所見として微細顆粒状（すりガラス状）クロマチン，核内細胞質封入体，核の溝，分葉核などが特徴的である（図 83，84）。核内細胞質封入体や核の溝は組織標本よりも高頻度に観察されるが，これらの存在のみで乳頭癌と診断することは危険である。細胞質はライトグリーン好性で，細胞境界は明瞭のことが多い。囊胞を合併している場合は，腫瘍細胞の細胞質内に多数の空胞（隔壁性細胞質内空胞 septated intracytoplasmic vacuole）がみられることがある（図 85）。

背景にみられる砂粒体（図 86），チューインガムを引き伸ばしたような形のローピーコロイド ropy colloid（図 87），奇怪な形態をした多核巨細胞なども乳頭癌を示唆する所見である（図 88）。リンパ球や泡沫細胞が背景に目立つことがある。

g．低分化癌

採取細胞量は豊富である。細胞集塊に特徴があり，大型充実性集塊（島状集塊），索状集塊，あるいは孤立散在性に出現する（図 89，90）。島状集塊や索状集塊の辺縁に血管内皮細胞が付着する像をみることがある。腫瘍細胞は類円形で，比較的均一な形態を示し，未分化癌に比べて異型性は少ない。細胞質の染色性は淡く，細胞境界は不明瞭である。しばしば核分裂像が観察される。

h．未分化癌

大型で高度の異型性を示す腫瘍細胞が採取されるため良性腫瘍と誤ることはないが，結合織成分の多い場合や炎症細胞が豊富な場合は腫瘍細胞が採取されにくく診断が困難になる。腫瘍細胞は結合性が乏しく，多角形，紡錘形，類円形など様々な形態を呈し，大小不同，過染性核，大型核小体，核分裂像など悪性を示唆する多くの所見を有する（図 91，92）。背景には好中球を主体とする炎症細胞がみられる場合が多く，壊死物質を認めることも稀ではない。未分化癌では転移性腫瘍や肉腫との鑑別を要する。先行病変として存在する乳頭癌や濾胞癌の成分が混在してみられることもある。

i．髄様癌

腫瘍細胞は結合性に乏しく，明確な配列パターンを示さない。細胞形は類円形，ときに紡錘形で，類円形細胞が孤立散在性に出現する場合は形質細胞様である（図93，94）。核は偏在性で，細胞質から飛び出しているようにみえる。核クロマチンは粗顆粒状で，核の異型や大小不同は乳頭癌より強いことが多く，多核，過染性巨大核，核内細胞質封入体などがみられることもある。細胞質の染色性は淡く，微細顆粒状を呈し，細胞境界は不明瞭である。ギムザ染色では一部の細胞に異染性顆粒が認められる。背景にアミロイド物質を認めることが本腫瘍の特徴の一つであるが，全例に出現するわけではない。アミロイドを結合織や濃縮したコロイドと区別するにはコンゴーレッド染色が有用である。免疫染色では，腫瘍細胞はカルシトニンやCEAに陽性である。

j．リンパ腫

びまん性大細胞型B細胞リンパ腫では，腫瘍細胞は大型リンパ球に相当する大きさの類円形細胞で，孤立散在性に出現する（図95）。細胞質は比較的豊富で，淡明あるいは淡染性である。核膜の陥凹や変形核がしばしばみられる。背景にはlymphoglandular bodiesや非腫瘍性の小型リンパ球が観察される。MALTリンパ腫では，腫瘍細胞は小から中型リンパ球の大きさで，異型性が乏しく，しばしば橋本病との鑑別が困難である（図96）。橋本病では出現細胞の種類が多様であるのに対し，MALTリンパ腫では単一性で，核の大きさにかかわらずクロマチンパターンが均一である。細胞診での確定診断が困難な場合はフローサイトメトリーによる表面マーカーの検索が必要とされる。

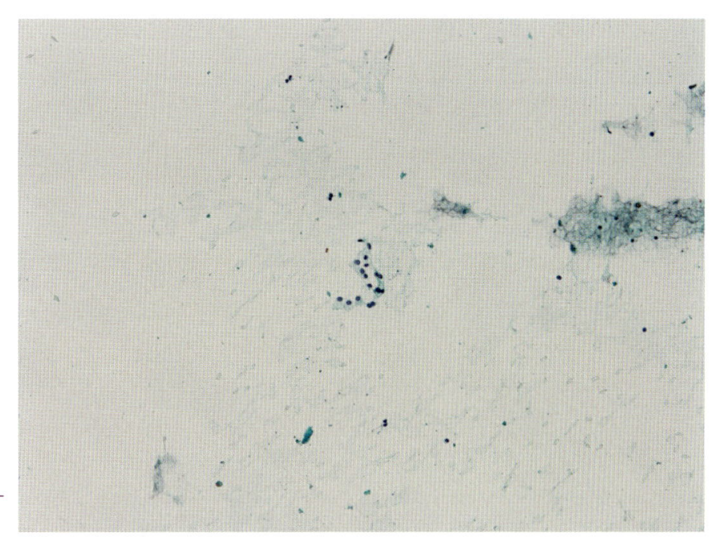

図 65　検体不適正

細胞少数

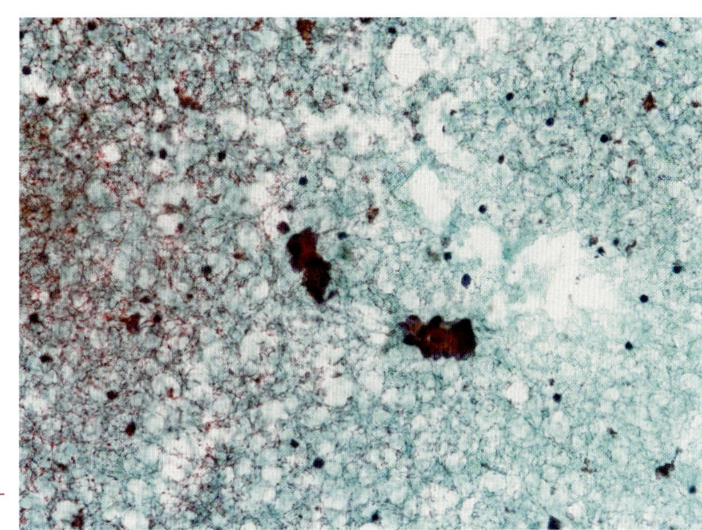

図 66　検体不適正

末梢血混入

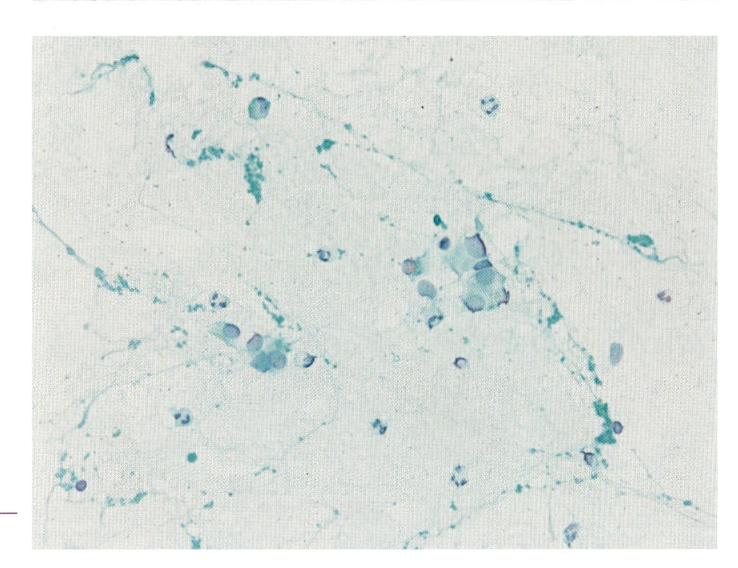

図 67　検体不適正

細胞の乾燥，変性

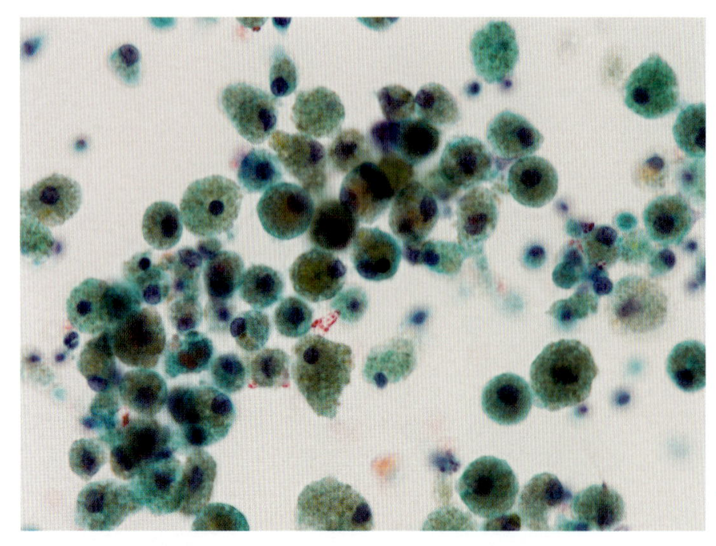

図 68　嚢胞液

泡沫細胞

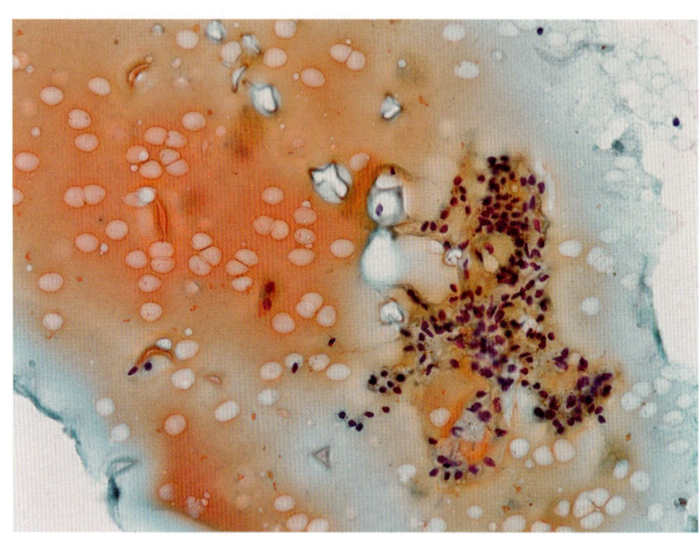

図 69　良性（腺腫様甲状腺腫）

コロイドと濾胞細胞

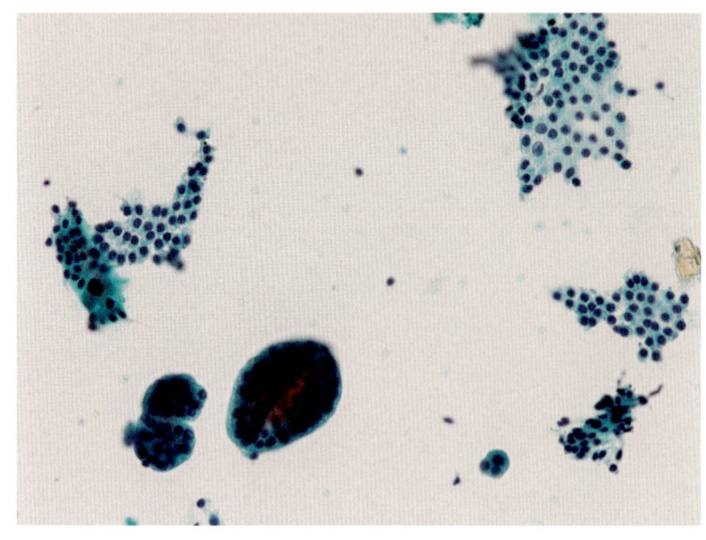

図 70　良性（腺腫様甲状腺腫，
LBC 標本）

濾胞細胞

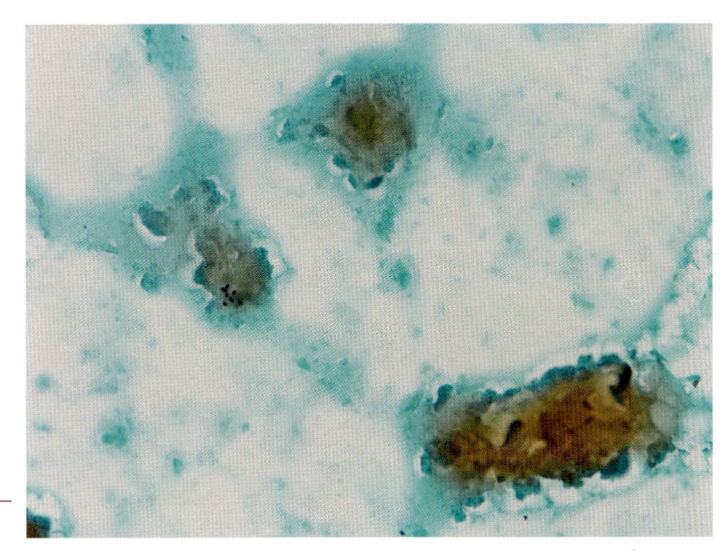

図 71　良性（腺腫様甲状腺腫）

コロイド

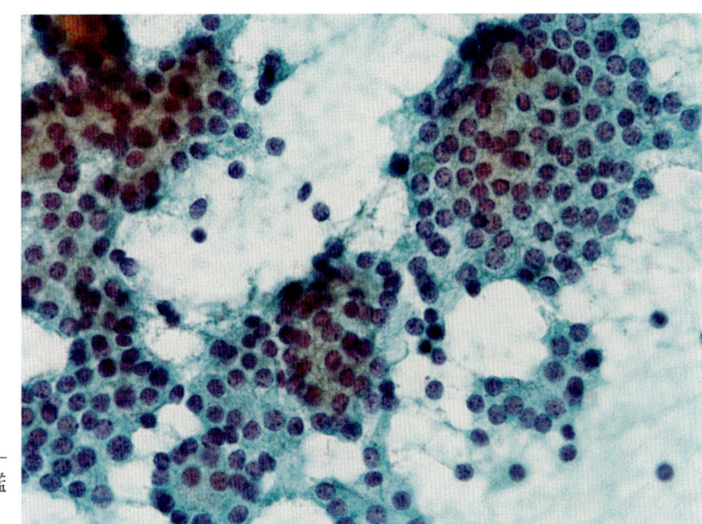

図 72　意義不明

腺腫様甲状腺腫と濾胞性腫瘍の鑑別が困難

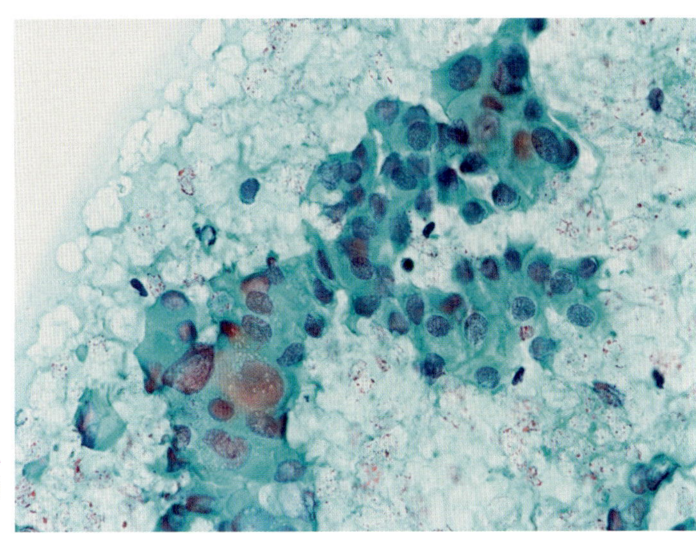

図 73　意義不明

乳頭癌の可能性があるが変性が強い

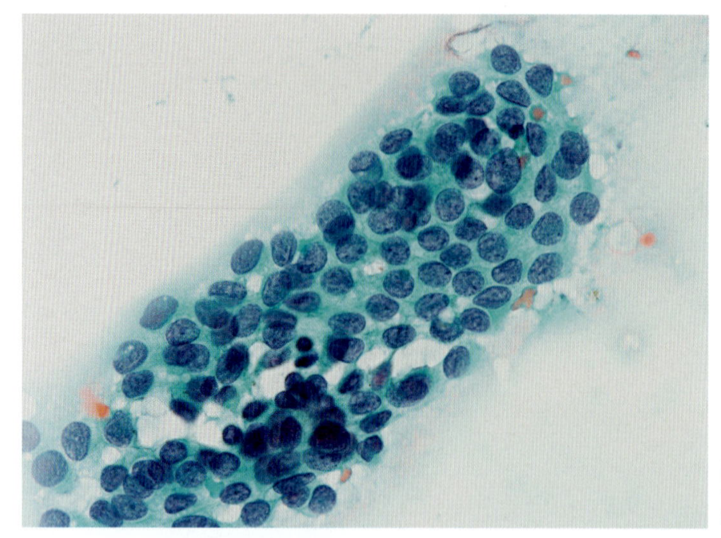

図 74　悪性の疑い

乳頭癌の疑い

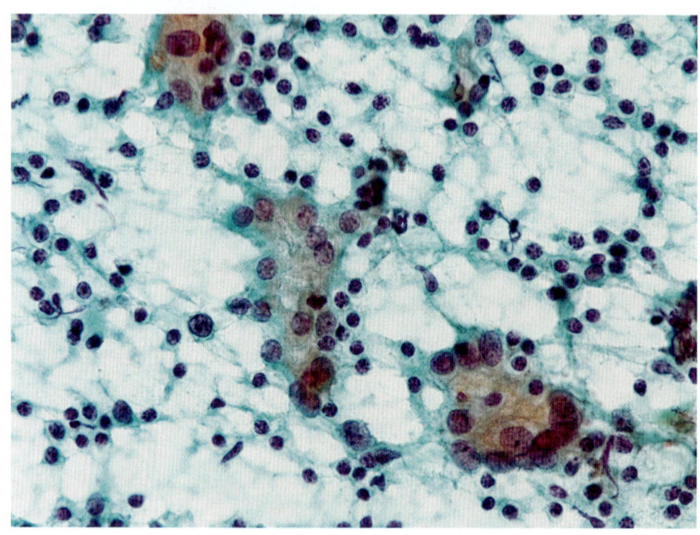

図 75　橋本病

好酸性細胞とリンパ球

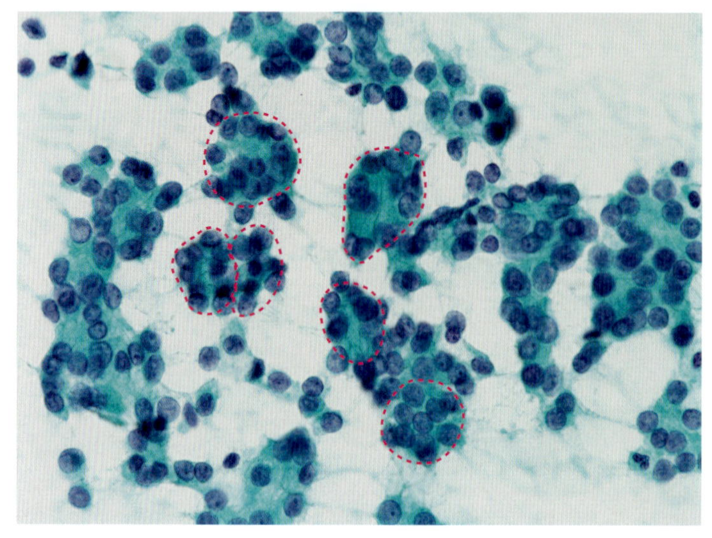

図 76　濾胞性腫瘍

小濾胞状集塊（赤丸）

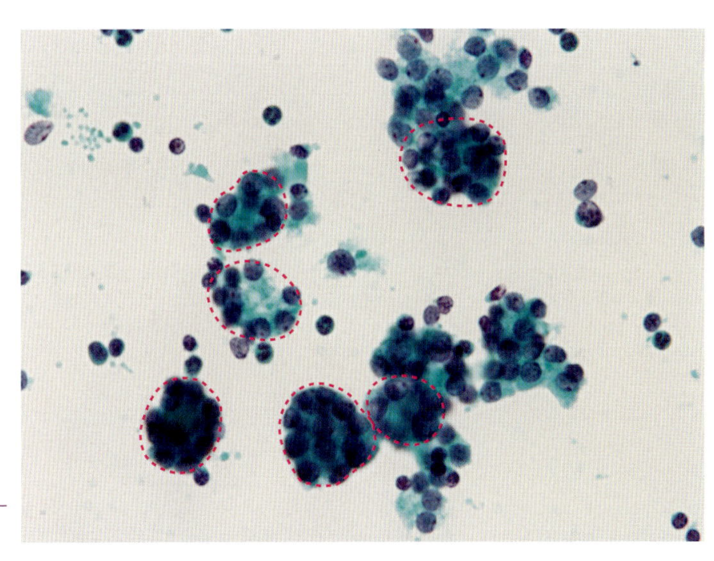

図 77　濾胞性腫瘍（LBC 標本）

小濾胞状集塊（赤丸）

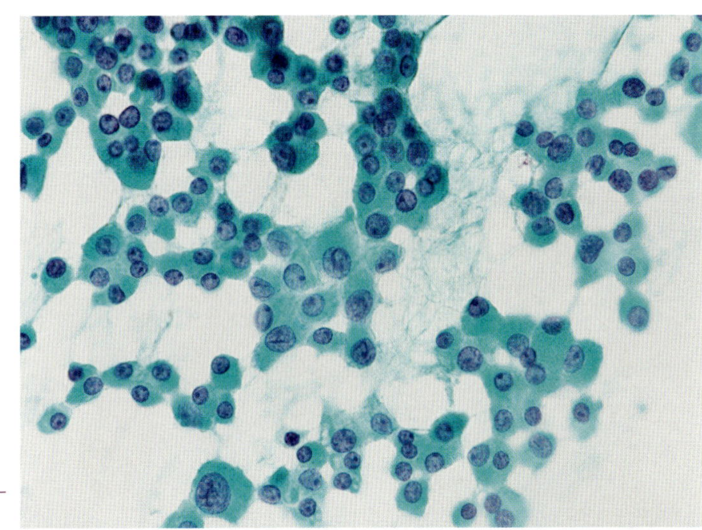

図 78　膨大細胞腫瘍

小型好酸性細胞

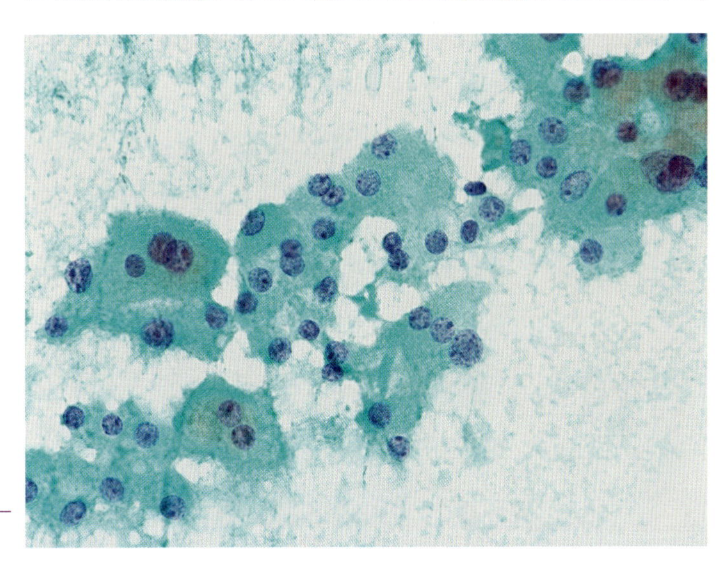

図 79　膨大細胞腫瘍

大型好酸性細胞

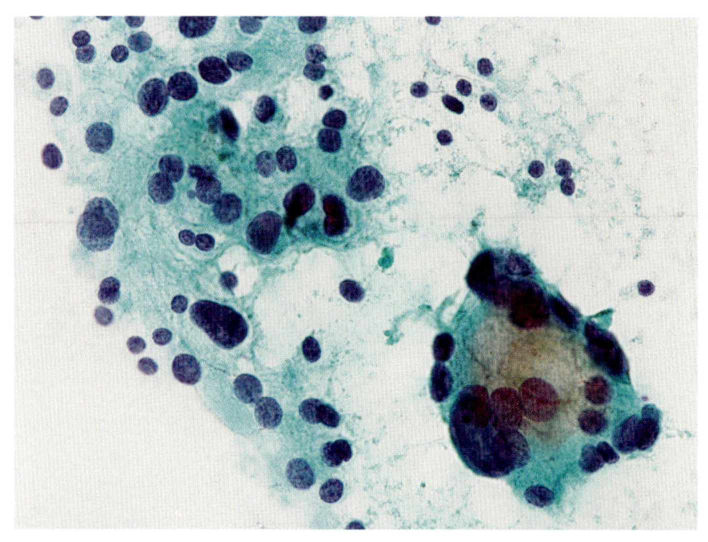

図80　濾胞性腫瘍（奇怪核を伴った濾胞腺腫）

大型異型細胞と小型細胞が混在

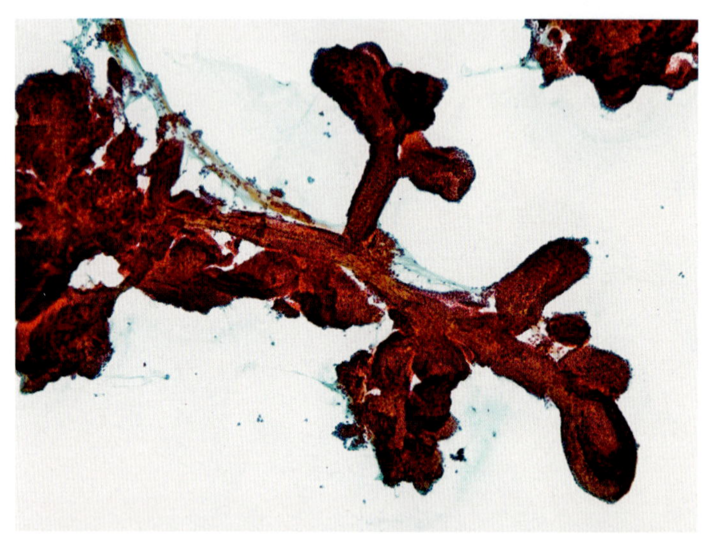

図 81　乳頭癌

乳頭状集塊

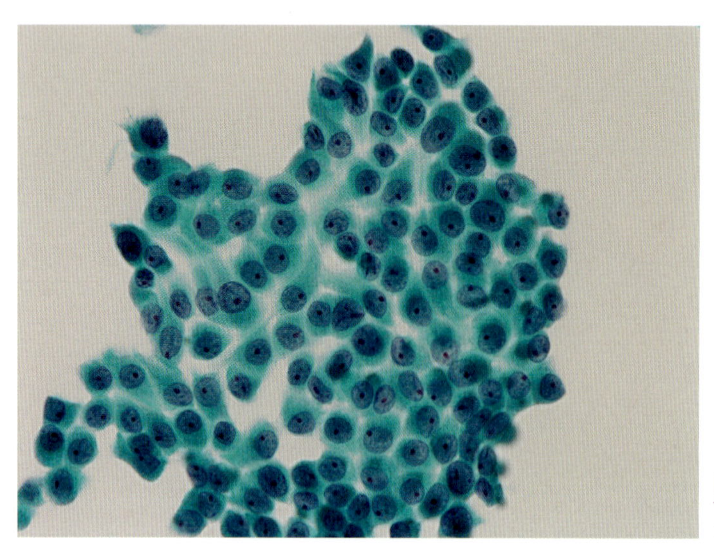

図 82　乳頭癌（LBC 標本）

シート状配列

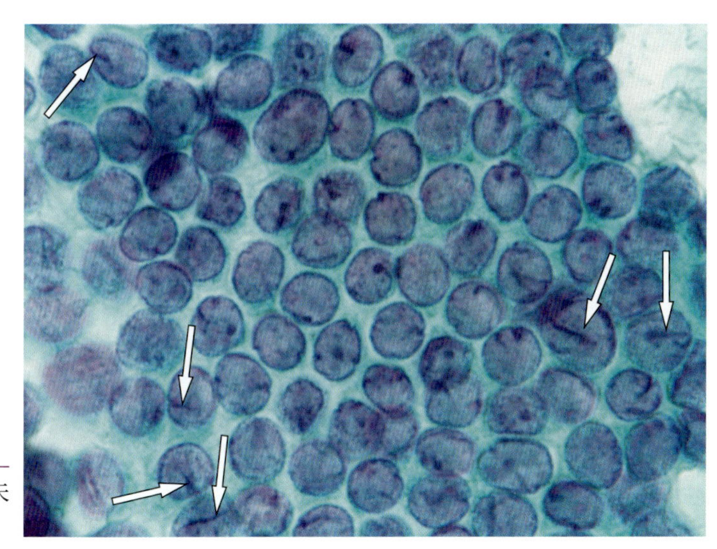

図 83　乳頭癌

すりガラス状核，核の溝（矢印）

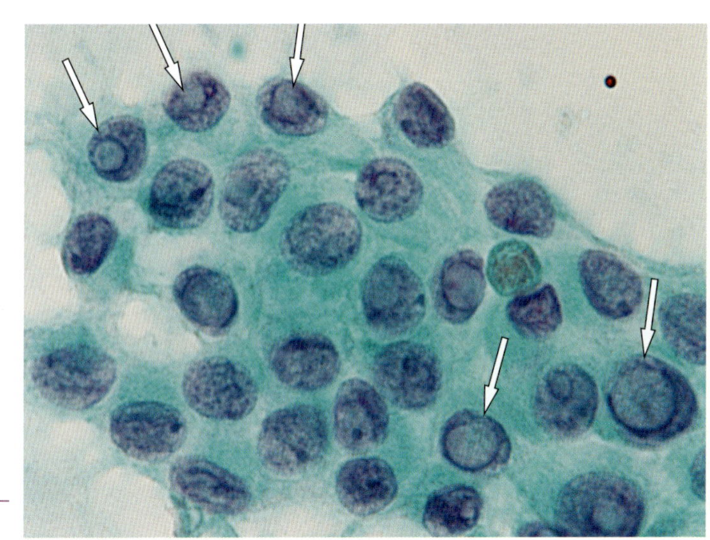

図 84　乳頭癌

核内細胞質封入体（矢印）

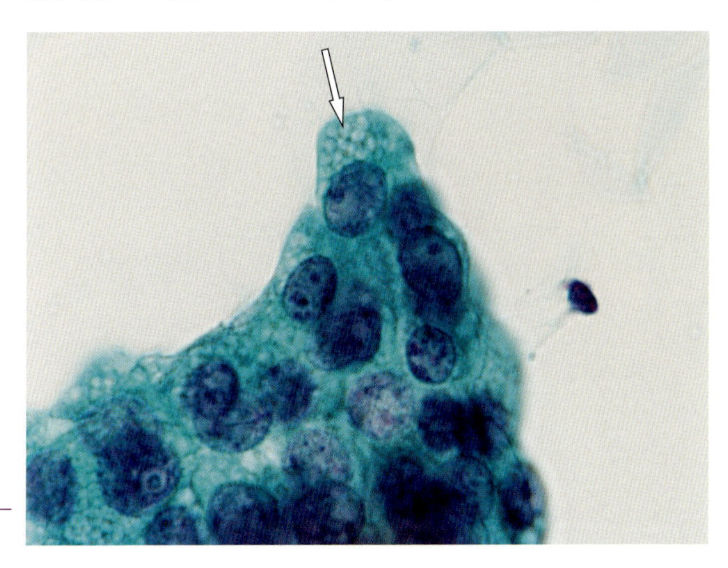

図 85　乳頭癌

隔壁性細胞質内空胞（矢印）

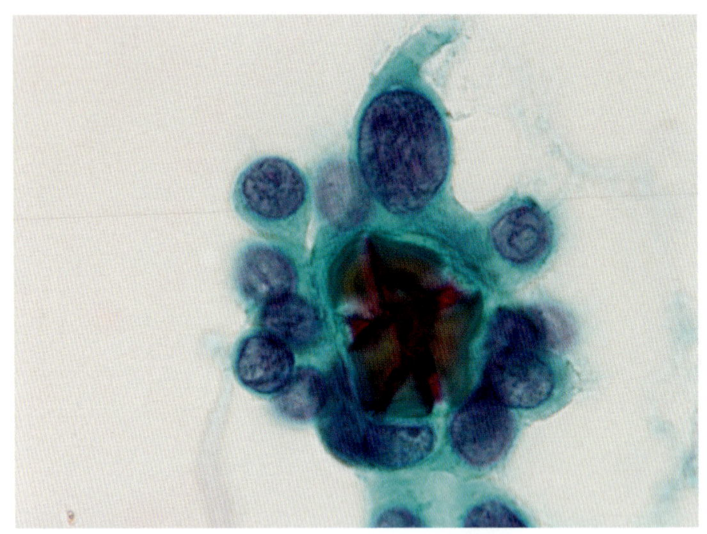

図 86　乳頭癌

砂粒体

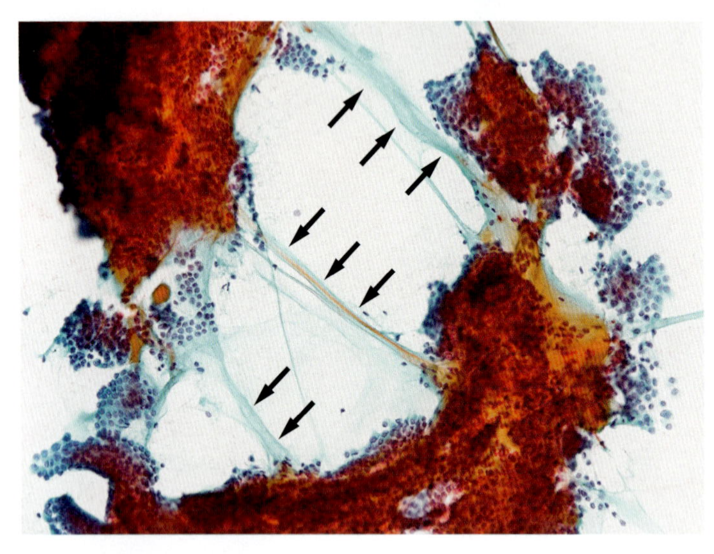

図 87　乳頭癌

ローピーコロイド（矢印）

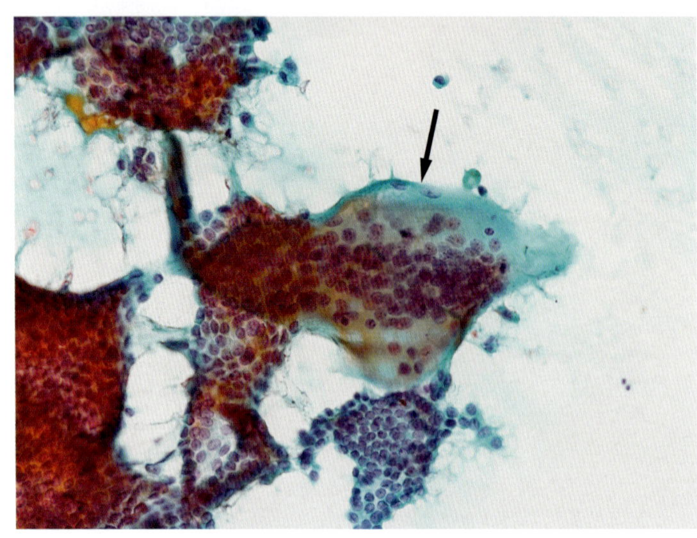

図 88　乳頭癌

多核巨細胞（矢印）

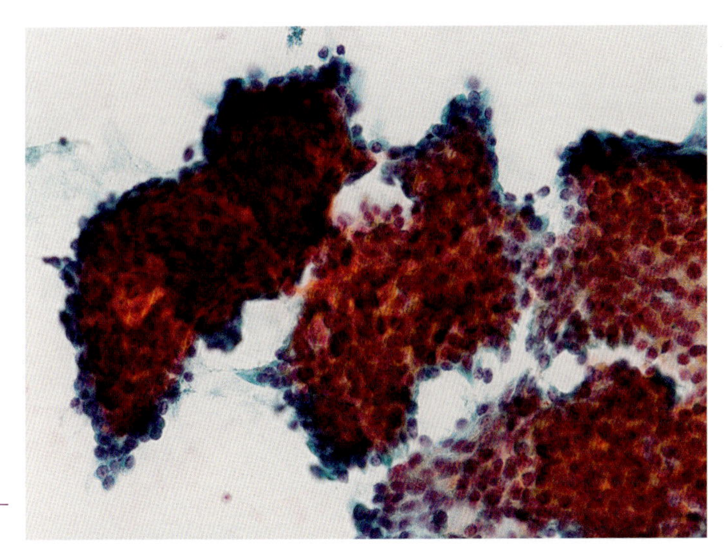

図 89　低分化癌

充実性集塊

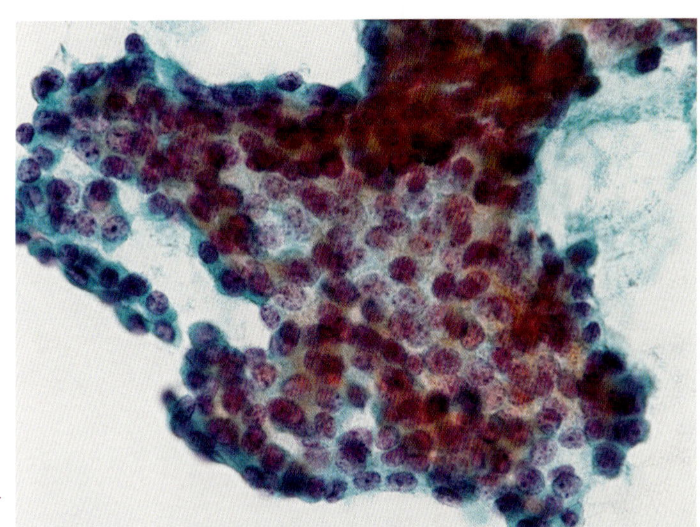

図 90　低分化癌

充実性集塊

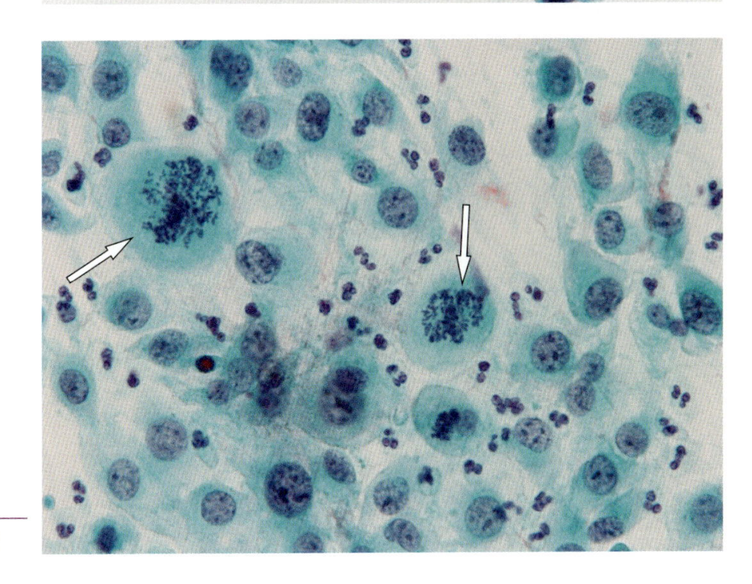

図 91　未分化癌

核分裂像（矢印）と好中球

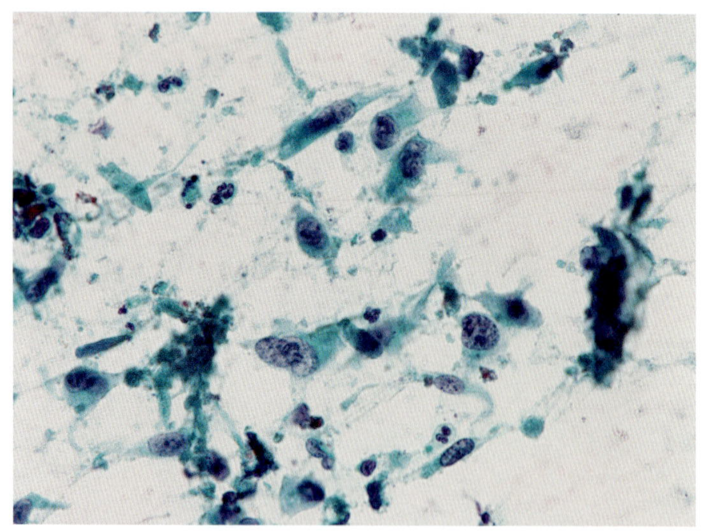

図 92　未分化癌

紡錘形～多角形の腫瘍細胞

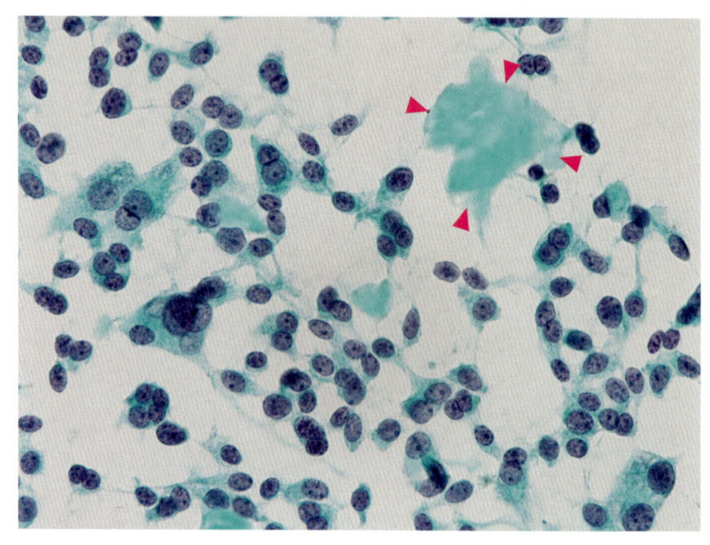

図 93　髄様癌

アミロイド（矢頭）

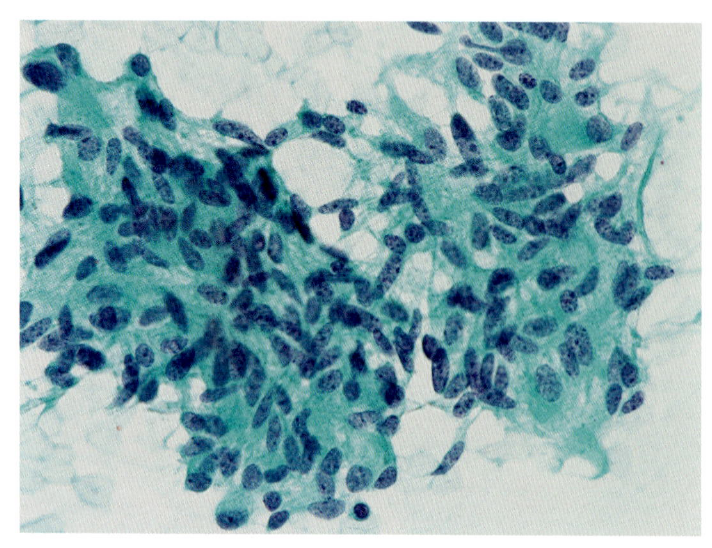

図 94　髄様癌

紡錘形腫瘍細胞

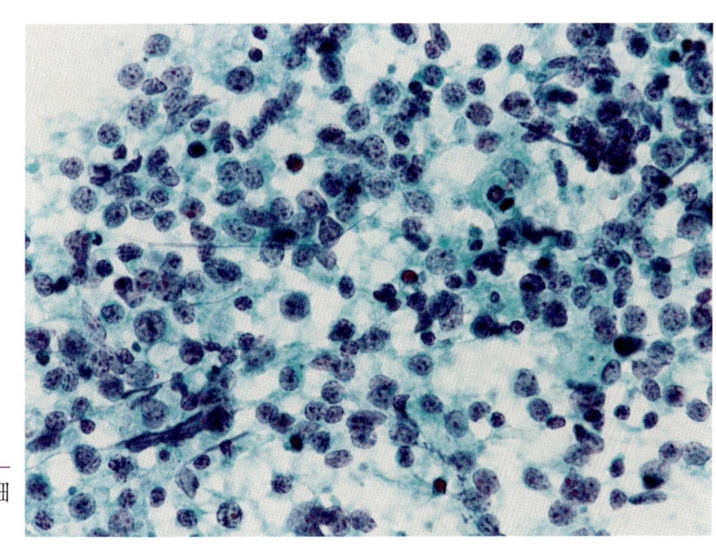

図 95　びまん性大細胞型 B 細胞リンパ腫

大型で異型の強いリンパ腫細胞

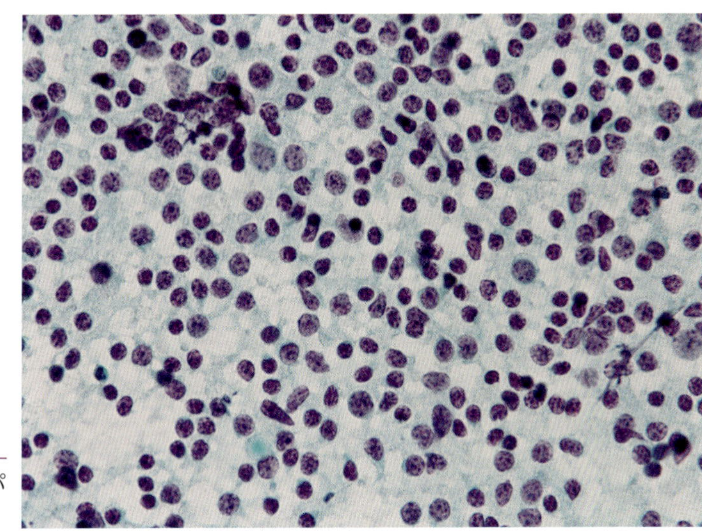

図 96　MALT リンパ腫

異型が乏しい小～中型リンパ腫細胞

甲状腺癌取扱い規約 第9版

1977年8月31日　第1版発行
1983年11月20日　第2版発行
1988年8月31日　第3版発行
1991年10月20日　第4版発行
1996年3月20日　第5版発行
2005年9月9日　第6版発行
2015年11月19日　第7版発行
2019年12月23日　第8版発行
2023年10月20日　第9版第1刷発行

編　者　一般社団法人 日本内分泌外科学会
　　　　日本甲状腺病理学会

発行者　福村　直樹

発行所　金原出版株式会社
〒113-0034 東京都文京区湯島 2-31-14
電話　編集　(03)3811-7162
　　　営業　(03)3811-7184
FAX　(03)3813-0288
振替口座　00120-4-151494
http://www.kanehara-shuppan.co.jp/

ISBN 978-4-307-20466-8
印刷・製本／三報社印刷